꿈을 꾸는 아이들

발 행 | 2024년 1월 22일
저 자 | 6-5반(권채원, 김나영, 김민지, 김지후, 김채윤, 류지원, 문라희, 박채은, 배수빈, 이다해, 이루리, 채유민, 김민석, 김민준, 김정주, 김태우, 남민성, 박성준, 배성제, 이규하, 이도윤, 이동건, 이혁진, 정준혁, 지인환)
펴낸이 | 한건희
펴낸곳 | 주식회사 부크크
출판사등록 | 2014.07.15.(제2014-16호)
주 소 | 서울특별시 금천구 가산디지털1로 119 SK트윈타워 A동 305호
전 화 | 1670-8316
이메일 | info@bookk.co.kr

ISBN | 979-11-410-6748-9

www.bookk.co.kr
© 꿈을 꾸는 아이들 2024

꿈을
꾸는
아이들

권채원, 김나영, 김민지, 김지후, 김채윤, 류지원, 문라희, 박채은, 배수빈, 이다해, 이루리, 채유민, 김민석, 김민준, 김정주, 김태우, 남민성, 박성준, 배성제, 이규하, 이도윤, 이동건, 이혁진, 정준혁, 지인환 지음

출판 기획팀: 김나영, 김지후, 김채윤, 배수빈, 이루리

디자인팀: 권채원, 김민석, 김민지, 김태우, 류지원, 박채은, 문라희, 이다해

표지 디자인: 권채원

목차

designed by. 류지원

2023년, 정원초등학교 6학년 5반의 이름은 SNS반입니다.

친구들과 함께 재미있는 추억과 생각을 공유하고 싶다는 바람에서 지어졌습니다. 우리 반의 이름처럼 우리는 많은 경험을 함께 하며 소중한 추억들을 마음속에 저장할 수 있었습니다.

이 책은 SNS반에서 꿈을 꾸며 성장한 우리 반 25명 모두가 각자의 시선에서 경험한 것, 바라는 것, 이루고 싶은 것들을 차곡차곡 모아 만들었습니다.

우리 반 친구들은 책을 제작하는 모든 과정에서 주도적인 역할을 맡았습니다. 출판 회의를 통해 글쓰기 주제를 선정하고, 글을 쓰는 장소를 선택했습니다. 자신이 쓴 글을 소리 내어 읽어보며 친구들과 이야기를 나누고 글을 고치고 또 고쳤습니다. 이 책을 구상하고 완성하기까지 우리 반 친구들의 손길이 닿지 않은 곳이 없습니다.

출판 기획팀으로서 제작 과정의 방향성을 설정하고 출판 회의를 이끌어 간 김나영, 김지후, 김채윤, 배수빈, 이루리.

디자인 팀으로서 책을 어떻게 구성할지 고민하고 책에 들어가는 모든 그림을 직접 그린 권채원, 김민석, 김민지, 김태우, 류지원, 박채은, 문라희, 이다해. 우리 반 친구들과 디자인 팀의 의견을 반영하여 표지를 만든 권채원.

이 책의 작가로서 11편의 작품을 완성한 권채원, 김나영, 김민지, 김지후, 김채윤, 류지원, 문라희, 박채은, 배수빈, 이다해, 이루리, 채유민, 김민석, 김민준, 김정주, 김태우, 남민성, 박성준, 배성제, 이규하, 이도윤, 이동건, 이혁진, 정준혁, 지인환의 오랜 고민과 노력 끝에 이 책이 만들어졌습니다.

LE SSERAFIM

1

작가 소개

designed by. 문라희

권채원

부산에서 태어났으며 현재까지도 거주 중이다. 그림 그리기와 음악 듣기, 책 읽기를 좋아하는 평범한 6학년 학생이다. 가끔 닥치는 대로 아무 생각이나 하다가, 잡생각에서 새로운 아이디어를 얻고는 한다. 이런 아이디어를 모아 그림을 그리는 것도 좋아하는데 미술관에서 새 작품을 감상하며 긍정적인 에너지를 충전하고는 한다. 그림 그리기를 좋아해서인지 장래 희망도 예술가이다. 정확히 어떤 분야일지는 확실하지 않지만 디자인, 패션, 일러스트 등 거의 모든 예술 활동을 좋아한다. 커서 예술가로 열심히 살다가 나이가 들면 강아지를 키우며 가족들과 행복하게 살고 싶다는 작은 꿈을 품고 오늘도 열심히 살고 있다.

김나영

안녕하시와요. 저는 쌍여자 김나영입니다. 일단 저를 소개하자면 전 춤을 잘 추구여ㅋ. 성대모사도 잘하는데 그중 맹구, 도라에몽, 크롱, 맑눈광, 이슬이, 퉁퉁이, 비실이, 주현영님 등 재능꾼입니다. 목표는 잼 리퍼블릭과 사진 찍기, 카페 알바 해보기입니다.ㅋ 스우파에 잼 리퍼블릭이 최애인데 잼 리퍼블릭이란 5명으로 이루어진 외국 댄스 크루입니다. 혈액형은 O형 MBTI는 ENFP, ESFP입니다. 생일은 12월 21일이고 달콤한 거 좋아합니다. 아기자기한 것도 너무너무 좋아합니다♥. 모형이나 즉흥적으로 움직이는 걸 좋아합니다. 좀..자유로운 영혼이랄까? 아 그리고 기 싸움도 잘합니다.

초록색 좋아해요. 잼 리퍼블릭 나라 세워줘요♥.

김민지

안녕하세요. 저는 2011년 5월 10일에 태어난 김민지입니다. 저는 쌍둥이인데 쌍둥이 민석이보다 친구를 더 좋아합니다. 저는 요리를 잘해서 엄마가 요리를 저한테 많이 넘겼습니다. 또 저는 그림을 잘 그립니다. 저는 친구들을 잘 챙겨줍니다. 저는 예쁩니다. 저는 고양이상입니다. 저는 고양이를 키웁니다. 저는 운동 실력이 뛰어납니다. 저는 가화테라스에서 이곳으로 이사를 왔습니다. 그래서 친구가 없었는데 6학년으로 올라오면서 친구가 많이 생겼습니다.

김지후

나는 부산에서 태어나 2~3년 동안 할머니에게서 자랐다. 2023년도 기준 6학년이고 운동을 좋아한다. 내가 싫어하는 것은 야채와 고강도 운동이다. 왜냐하면 야채는 트라우마가 생겨서 안 먹지만 이상하게 오이나 양상추는 먹는다. 나의 목표는 첫 번째는 아시안 게임에서 은, 아니면 금메달을 따는 것이고 두 번째는 내가 돈을 모아서 가족들 하고 축구 경기장을 가서 축구를 보는 것이다. 나는 리더십이 강하고 무엇을 할 때에는 노력을 많이 한다. 요즘 나의 취미는 춤을 추는 것이다. 왜냐하면 춤을 추면 기분이 좋아지고 안정이 된다. 나의 꿈은 태권도 선수를 하다가 태권도 관장이 되는 것이다.

김채윤

안녕하십니까. 저는 6-5의 부반장 김채윤입니다. 저는 어릴 때부터 사교성이 좋았습니다. 그리고 친구들은 저에게 FM(완벽주의자)이라고 말한 적도 있습니다. 그리고 제 MBTI는 ISFJ로 91%, S 63%, F 98%, J 100%입니다. 저의 특기는 정원 윈드 오케스트라에서 플롯 파트로 활동하였습니다. 그리고 제 특기는 짱구 성대모사입니다. 제가 봐도 비슷할 정도로 잘합니다. 아까 말씀드렸듯이 6-5의 부반장입니다. 그리고 영어를 잘합니다. 지금 거의 중2 수준의 영어를 배우고 있습니다. 제 꿈은 간호학과를 졸업하는 것으로도 충분하고 취미로 작가까지 되고 싶습니다. 제 장점은 사교성이 좋고 친구를 잘 사귄다는 점입니다. 제가 바라는 점은 제 취미가 IVE 덕질인데 IVE의 앨범을 전부 다 수집하는 것입니다. 그리고 IVE를 직접 만나 싸인 받고 싶습니다. 앞으로도 활기차고 활발한 사람이 되고 싶습니다.

류지원

나는 반에서 착하고 모든 것을 열심히 하는 성실한 6학년 5반 부반장이다. 음식, 친구 도와주기, 노래 흥얼거리기, 책 읽기 등을 좋아한다. 할 말은 하는 편이며, 글을 잘 쓰고 친구의 강점이나 장점을 잘 찾아내 칭찬을 잘해준다. 반 리더를 잘하고 친구를 잘 챙기면서 잘 논다. 미래의 꿈이 아나운서나 변호사이다. 가족을 기쁘고 행복하게 하는 게 목표이다. 동생이나 친구들과 수다 떨기, 가족과 이야기하기가 취미이다. 키가 안 크는 것과 갑자기 급발진하는 것이 나의 가장 큰 고민이다. 후배들에게 자랑이 되고 가족에게 자랑이 되는 멋진 사람이 되고 싶다.

문라희

안녕하시오까. 6-5반 박채은, 김나영보다 더 멋진 상여자 문라희이다. 우선 내 특기는 키가 크다는 것이고 옷 입는 것에 관심이 많다는 것이다. 다음 내 장기는 원맨쇼 하기, NCT 덕질하기가 있는 것 같다. 그리고 내가 되고 싶은 직업은 내 특기를 살려 패션쪽으로 직업을 정해보고 싶다. 이상 상여자 공주 라희였음~^^.

박채은

안녕 안녕 안녕하시와요. 저는 김나영, 문라희보다 더한 부산 상여자 박채은 공주입니다. 저는 아이돌 덕질러이고 제가 덕질하는 아이돌은 '서로 다른 너와 내가 또 다른 내일을 만들어간다.'라는 뜻의 그룹명을 가진 세계 최고 모든 맴버가 '올 라운더'인 그룹 바로 "TOMORROW BY TOGETER"입니다. 또 잘하는 것은... 너무 많지만... 굳이 뽑자면... 피아노, 줄넘기, 눈 세모나게 뜨기, 덕질 정도?ㅋ 또 여기서 한번 간추리자면 피아노와 덕질인 것 같네요ㅎㅎ. 그래서 요즘 고민이 피아노 콩쿨을 나갈까 말까입니다. 왜냐하면 저는 7년간 피아노를 수련하며 나중에는 음악계의 엄청난 폭풍을 불러 올 수 있는 출중한 인재이기 때문입니다. 근데 또 막상

나가려고 준비를 하면 힘들고 귀찮습니다. 뭐 근데 아직 꿈은 없구요. 목표가 있다면 투바투 팬 싸인회에 가서 모든 맴버와 눈을 초롱초롱하게 뜨고 저와 셀카를 찍는 것입니다. 콘서트에 가서 실물만 볼 수 있다면 죽어도 여한이 없을 것 같습니다. 취미는 덕질이며 특기도 덕질입니다. 참고로 MBTI는 ISFP로 TXT 최수빈과 같습니다♥. 또한 저는 하이브에 입사해 투모로우 바이 투게더를 매일 보고 싶습니다.

배수빈

내 이름은 배수빈이다. 내가 태어났을 때 할머니께서 지어주신 이름이라고 한다. 나는 내 이름이 참 좋다. 어릴 적에는 내 성이 나주 배 씨인 줄 알았지만, 이제는 잘 안다. 내 MBTI는 ENFJ이고 가끔 내가 MBTI가 이상하다고 느낀 적이 한두 번이 아니다. 내 평소 성격은 I인데 친구들(친한 친구) 몇 명과 함께 있으면 E가 되니까 MBTI는 나를 E로 판단한 것 같다. 그래서 가끔 다시 해보면 INFJ로 나오기도 한다. 앞자리 이외엔 정말 나를 완벽하게 설명하고 있다. 매우 감성적이고 눈물이 많으며 상상력이 넘치는 성격이라는 것을 나도 인지하고 내 MBTI도 설명해 주고 있다. 내가 좋아하는 것은 고양이와 가족, 아이돌 르세라핌(LESSERAFIM)이다. 고양이는 자연스레 귀염귀염한 발바닥과 얼굴 덕에 빠지게 되었고, 가족은 ♥이고 르세라핌은 진짜 너~무 좋다. 내가 싫어하는 것도 소개하겠다. 내가 싫어하는 것은 무서운 것과 공포이다(둘이 비슷하지만ㅎ). 나는 무서운 것을 보고 잠에 들면 무조건 잠을 못 잔다. 잠에 못 들지만 그래도 재미있고 무서운 것은 꽤(?) 괜찮다. 모순적이긴 하지만 말이다. 내 취미는 독서, 그림 그리기, 폰 하기, 상상하기 등으로 일상에서 흔히 즐길 수 있는 것이다. 이 책이 출판됐을 때의 나의 모습, 정말 궁금하다.

이다해

안녕하세요. 저는 6학년 5반 이다해입니다. 제가 덕질하고 있는 아미들은 블랙핑크이고, 블랙핑크를 덕질하게 된 계기는 유튜브에서 블랙핑크 뮤비를 보다가 4명의 춤과 노래가 너무 멋지다고 생각해서 좋아하게 되었습니다. 제 취미활동은 그림 그리기이며 즐겨 먹는 음식은 마라탕이고, MBTI는 ISFP입니다. 그리고 저는 사람이 많은 곳에서는 조금 소심하지만 친한 친구들끼리 있을 때는 활발합니다. 저는 운동신경이 별로 좋진 않지만, 피구와 같은 놀이를 하는 것은 좋아합니다. 마지막으로 저의 꿈은 만화작가입니다. 그 이유는 제가 그림 그리기를 좋아하기도 하고 제 적성에 맞을 것 같기 때문입니다. 그래서 저는 웹툰 작가 또는 만화작가가 되고 싶습니다.

이루리

광주 어딘가에서 태어났다. 나이는 13살 6학년이다. 나의 취미는 책 읽기, 노래 듣기이다. 내가 좋아하는 일을 할 때 마음이 편안해진다. 좋아하는 가수는 IU. 좋아하는 이유는 인간미가 넘치고, 노래가 좋기 때문이다. 또 예쁘기까지 하다. 특히 '무릎'이라는 노래는 정말 좋다. 내 MBTI는 ENFJ, ESFJ 등 많이 바뀐다. I가 나온 적은 한 번도 없었던 것 같다. 나의 미래 꿈은 딱히 없지만 아나운서라고 하겠다. 미래 목표는 내가 좋아하는 직업을 가지고 아주 평범하게 사는 것이다. 내가 생각하는 나는 많은 사람 앞에서는 아주 시끄럽고 소수의 사람들과 있을 때는 꽤 진지하다. 또한 잘하는 것은 딱히 없는 것 같다. 그리고 고민은 나의 미래에 장래 희망을 어떻게 결정하는지가 고민이다ㅠ.

채유민

안녕하세요. 저는 부산에서 태어난 채유민입니다. 저는 아이브라는 여자 아이돌 그룹을 엄청 좋아합니다. 아이브를 좋아하게 된 계기는 뮤직뱅크를 보다가 아이브를 봤는데 노래도 잘 부르고 춤도 잘 추고 완전 이뻐서 입덕했습니다. 그리고 많은 아이돌 중에서 아이브를 제일 좋아하는 이유는 아까 말했듯이 노래, 춤, 외모 다 1등이기 때문입니다. 그중에서도 '레이'라는 멤버를 가장 좋아하는데 그 이유는 귀엽고 이쁘고 자기만의 독특한 개성이 있기 때문입니다. 저의 꿈은 아직 없구요. 취미는 핸드폰 보기입니다. 제일 많이 사용하는 앱은 틱톡, 인스타그램입니다. 목표는 최애 아이돌 콘서트 가기, 싸인받기, 팬싸가기, 영통 팬싸 해보기, 아이브와 방탄 만나기, 아이브 멤버 전원이랑 셀카 찍기입니다. 고민은 중학교 가서 1등하고 싶은데 사회, 과학, 국어 과목을 못해서 고민이에요ㅠ. 이 과목들 실력을 향상시키기 위해 하고 있는 것은 딱히 없어요.

수학은 다른 과목에 비해 잘합니다! 그리고 마지막으로 MBTI는 자랑스러운 INTP입니다ㅋ.

김민석

저는 2011년 5월 10일 부산에서 태어난 김민석입니다. ENFP, INFP이고 꿈은 애니메이터, 작곡가, 가수, 유리 공예사, 사진가이고 좋아하는 건 노래 듣기, 그림 그리기, 꿈꾸기, 상상하기, 춤추기입니다. 그리고 가끔 감정에 빠져 나쁜 생각을 많이 하지만 금방 잊습니다. 좋아하는 가수는 Melanie martinez, Jvke, Sia, 뉴진스 암튼 거의 모든 가수가 좋아요. 그리고 저의 목표는 원하는 삶을 사는 것입니다.

김민준

나는 의정부에서 태어나서 지금은 정관에 살고 있는 정원초 6-5반 김민준이다. 나는 집에 누워서 게임 하는 것이 좋고 가끔은 놀고 싶은 날도 있다. 나는 주변에서 지혜롭다고 하는데 잘 모르겠다. 나는 항상 웃으며 밝게 지내고 있다.

김정주

저는 부산 상남자 김정주입니다. 저의 MBTI는 INFP이고 말을 많이 하고 말을 잘한다는 게 특징이라고 생각합니다. 저의 꿈은 축구선수입니다. 이유는 수비를 할 때 수비에 성공하면 짜릿하고 공격할 때도 수비를 제치고 골을 넣어도 짜릿하고 골키퍼 할 때도 수비에 성공하면 짜릿하기 때문입니다. 제가 가장 좋아하는 것은 축구이고 잘하는 것도 축구와 포트나이트이고 지금 가장 하고 싶은 것도 축구입니다. 전 장난을 많이 치고 사고도 많이 칩니다. 좋아하는 음식은 김치볶음밥입니다. 왜냐하면 김치의 새콤달콤한 맛과 짭짤한 볶음밥의 조합이 어울려서 좋아합니다. 그리고 저는 키가 큽니다.

김 태 우

저는 6학년 5반 김태우입니다. 저의 꿈은 유튜버 애니메이터입니다. 저의 MBTI는 INFP이며 집 밖에 나가기를 싫어합니다. 저의 취미이자 특기는 그림 그리기와 리듬 게임 그리고 DIY입니다. 제가 좋아하는 것은 규카츠, 게임, 지브리입니다. 제가 가장 좋아하는 게임은 얼불춤, 스컬 등의 스팀 게임과 발로란트가 있습니다. 전 친구들에게 친절하고 감정도 풍부하고 목소리가 큽니다. 전 많은 친구를 사귀는 것보다 조금의 친구와 훨씬 가까운 관계를 맺는 것은 좋아합니다. 수업 중에 저는 수업에 집중하고 질문을 잘하며 공부는 남모르게 많이 합니다. 저는 심심할 때, 습작을 하거나 그 그림을 트위터에 올리기도 합니다. 저는 앞으로 사람들에게 친절한 사람이 되고 싶습니다.

남민성

나는 남민성이다. 부산에 있는 정원초등학교를 다니고 있다. 좋아하는 것은 운동이다. 운동 중에 자전거 타기, 티볼을 좋아한다. 자전거 타기를 좋아하는 이유는 일단 타면 재미있고 시원하기 때문이다. 티볼은 타격을 잘 쳐서 3루까지 가거나 1점을 자꾸자꾸 내면 기분이 진짜 좋고 위로 날아올 때 탁 공을 잡으면 아웃이어서 좋다.

박성준

부산에서 살고 있고 현재 6학년이다. 어릴 때 수학에 흥미를 가지게 되어 수학을 좋아한다. 무엇이든 꼼꼼하게 보는 성격이며 설명을 잘한다. 부산 해운대 영재교육원에 재학 중이다. 1학기에 우리 반 영어 부장으로 활동했다. 코딩에도 관심이 많다. 교사나 AI 프로그래머가 꿈이다.

배성제

나는 배성제이다. 사는 곳은 부산이고 생년월일은 7월 27일이다. 내가 좋아하는 것은 만들기, 운동이다. 내가 좋아하는 운동은 태권도, 축구, 야구, 피구이다. 잘하는 운동도 태권도, 축구, 야구, 피구이다. 태권도를 잘하는 이유는 정관에서 기장군 태권도 5회 연속 우승을 한 '드림 태권스쿨' 시범단을 하고 있기 때문이고 축구는 내가 동네 축구나 초등 축구에서 기본 1골을 넣기 때문이다. 야구는 내가 투수를 할 때나 삼진을 3번 정도 하고 타자도 안타도 잘 치기 때문이다. 피구는 내가 형들이랑 피구해도 2번은 아웃시키고 잡살이 가능해서 2번 정도 다 잡고 아웃을 시키기 때문이다. 만들기는 레고 만드는 것을 좋아하기 때문이다. 태권도를 잘하는 이유는 꾸준히 열심히 했기 때문이다. 태권도를 좋아하게 된 이유는 정말 재미있고 발차기 차는 것도 좋아서이다. 나의 꿈은 미스터 비스트처럼 돈 많은 사람이 되는 것이다.

이규하

부산시 기장군 정관읍 모전 3길 **에 살고 있으며 학력은 마리나 유치원을 졸업했으며 정원초등학교를 다니고 있다. 가족 관계로는 부모님과 형이 있다. 외형은 안경을 쓰고 있으며 머리가 길다. 2023년 9월 20일 기준 희망하고 있는 목표는 돈 많고 공부와 일을 안 해도 되고 집에서 하고 싶은 것만 하면서 뒹굴뒹굴 할 수 있는 편안한 인생을 사는 것이다. 좌우명은 "돈만 많으면 된다."이다. 좋아하는 것은 돈, 땅, 집, 부모님, 자신이고 싫어하는 것은 콩, 버섯, 벌레이다. 장점은 말을 융통성 있고 논리 있게 잘하는 것이고 단점은 없다.

이도윤

안녕하십니까. 저는 이도윤이라고 합니다. 저는 글쓰기를 매우 좋아하며 애들에게 장난치는 것을 좋아합니다.

이동건

나는 2011년 12월 13일에 태어나 부산에 살고 있는 이동건이다. 나의 MBTI는 ENTP다. 그리고 내가 좋아하는 것은 생물, UFC, 스케이트 보드, 만화이다. 내가 키우는 생물은 도마뱀 3마리이다. 나의 취미는 UFC 보기, 만화책 보기, 보드 타기이다. 나의 특기는 잘 먹고 잘 싸고 잘 노는 것이다.

이혁진

나는 정관에 있는 초등학교인 정원초등학교를 다니는 평범한 6학년 5반 학생 겸 반장이다. 그리고 검은색 마스크를 쓰고 키가 160쯤은 된다. 그리고 살이 좀 쪘다. 그리고 게임과 누워있는 것을 좋아한다.

정준혁

저는 대한민국 부산광역시 기장군 정관읍 모전리에 위치한 정원초등학교를 다니는 학생이다. MBTI는 ENTP이고 좋아하는 것은 게임이랑 자전거이다. 나의 꿈은 경륜 선수이고 목표는 네덜란드 사이클팀에 들어가는 것이다. 그리고 MMA에 가서 은가누와 붙어서 이기고 집에 가서 치킨 먹기이다. 그럼 끝.

지인환

나는 잘생겼다. 그리고 나는 친구들에게 인기가 많다. 나는 개그

를 잘한다. 그리고 귀엽다. 나는 공부를 잘 한다.^^ 나는 선생님 말
을 잘 듣는다. 나는 욕을 하지 않는다.

2

우리 반 소개

권채원

우리 반은 활기차다. 그리고 천방지축이다. 난 그런 우리 반이 가끔은 시끄러워서 싫기도 하지만 항상 열정이 넘치는 것 같아서 좋다. 친구들의 성격, 매력, 특기도 다 가지각색이지만, 그런 25명이 모두 모여 완벽한 반을 만드는 것 같다. 친구들의 이런 개성을 살려주는 다양한 활동들도 있는데, 1인 1역 활동이다. 각자의 특기를 살려 직업을 가지고 활동을 하는 일종의 프로젝트다. 이외에도 친구들과 친목을 다질 수 있는 친구 데이도 있다. 이 모든 프로젝트들의 중심에는 선생님이 계신다. 선생님께서는 우리에게 항상 친절하시고 현명하시다. 우리 반의 중심을 꽉 잡아주고 계신 것 같아 감사하다. 우리 반 모두 졸업 전까지 싸움 없이 쭉 평화롭게 지내고 싶다.

김나영

우리 반은 활기차다. 솔직히 말하면 잘생긴 애가 없어서 너무 슬펐다.. 진짜 첫날부터 심상치 않았고 친화력이 짱이었다. 멀리서부터 우리 반 소리가 다 들려왔다. 여자애들이 다 예쁘다♥. 안에 보드게임도 있고 그래서 할 수 있는 게 많다. 울 반은 맨날 혼난다. 착하게 말하면 활발한 것이고 그냥 말하면 산만하다ㅋㅋ. 그래도 우리 반이니까 좋다. 애들이 거의 다 E인 것 같다.

김민지

우리 반은 상상력이 뛰어나고 그림을 잘 그리고 잘하는 것이 많습니다. 여자애들은 그림을 잘 그리고 예쁘고 착하고 깜찍하고 똑똑하고 준비성이 철저하고 마음이 넓고 글씨체도 예쁘고 귀엽고 공주 같습니다. 남자애들은 자전거를 잘 타고 무엇이든 열심히 합니다. 서로 협동심이 강하고 서로를 잘 존중합니다.

김지후

우리 반 이름은 SNS 반으로 뜻은 SNS처럼 추억을 많이 남긴다는 뜻이다. 우리 반은 웃음끼가 넘치며 매일 활기차다. 우리 반은 피구를 좋아하며 체육을 광적으로 좋아한다. 우리 반 선생님은 공부를 잘 하지만 피구를 안 해주신다. 우리 반은 공부를 잘하는 친구도 있지만, 잘 못하는 친구도 있다. 하지만 우리는 공부를 잘 못하는 친구를 잘 도와주고 격려를 해준다. 우리 반이 가장 좋은 것 같다.

김채윤

나는 그저 정말 평범한 반이라고 생각하였다. 3월 5일까지... 저렇게 난장판이 될 줄은 상상도 못했다. 그러나 그러면 어때! 선생님도 좋으시고 긍정적인데!! 그렇게 우리 반은 하나, 둘씩 좋아졌다. 그러나 아직 치고 빠지기가 어색... 우리 반은 정말 솔직하다. 자기 자신이 잘못한 것은 정말 혼날 일도 그냥 솔직하게 이야기한

다. 그리고 우리 반 2/3 이상이 MBTI E일 확률이 높다. 왜냐하면 쉬는 시간마다 시끌벅적하기 때문이다. 노래 부르고, 춤추고, 싸우고... 아휴... 피곤하다. 그러나 우리 반은 친절해서 좋다. 그냥 웃기고 친절하다.

류지원

우리 정원초 6학년 5반은 다른 반 친구들 못지않게 잘 논다. 외향적인 친구들 덕분에 항상 웃음이 넘쳐나며 친구들과의 웃긴 이야기. 슬픈 이야기도 잘 들어주고 말도 엄청 잘한다. 춤도 잘 추고, 그림도 잘 그린다. 모든 것에 열심히 열정적으로 임하는데, 그중 하나가 피구다. 피구에 정말 진심이다. 또 우리 반은 알잘딱깔센(알아서 잘 딱 깔끔하고 센스 있게) 같다. 토의를 정말 잘하고 발표도 잘한다. 간단하게 선생님을 소개하자면 우리들 장난도 잘 받아주시고, 항상 웃는 얼굴로 다니신다. 한마디로 우리 반은 신나고 즐겁고 정말 멋진 반이다.

문라희

이번 연도엔 정말 재밌는 일들이 많고 충격적인 일들이 정말 많았지만! 이러한 재밌는 에피소드들로 하루가 쉴 새 없이 웃는 기분이다. 1학기 마지막 날 음악 선생님이 다른 학교로 간다고 했을 때 울었던 몇몇 아이들을 사진 찍고 놀리고 했던 게 너무 재미있었던 것 같다. 그리고 친한 애들끼리 같이 놀기도 하고 정말 재미있었던 것 같다. 이렇게 웃긴 일들이 있다 보니 또 좋은 시간들이 있었던 것 같다!

박채은

우리 6학년 5반은 시끄럽고, 재미있고, 활기차고, 웃기고, 피구를 아주아주 좋아하다 못해 사랑할 지경입니다. 나이는 선생님 빼고 다 13살로 추정됩니다. 선생님은 20~30대인 것 같습니다. 학기 초에 반 이름을 정했는데 SNS 반이며 뜻은 까먹었는데 좋은 뜻일 것 같습니다. 아침 시간에 등교할 때면 7반 쪽 복도부터 시끄러운 소리가 들리는데 그 소리는 6학년 5반일 확률이 높습니다. 우리 반 아이들은 그만큼 시끄럽고 활기찹니다. 우리 반 아이들은 각자 다 개성 있고 멋집니다. 마지막으로 선생님 피구 좀 시켜주시고 저희도 라면파티나 과자 파티나 뭐든 좋으니 파티 좀 하게 해주세요!!

배수빈

나는 정원초 6-5반이다. 내가 살면서(아직 약 13년밖에 살지 않았지만 말이다) 느낀 점은 내가 선생님 복이 있다는 점이다. 이러한 느낌을 받은 이유는 1학년 때부터 6학년 때까지 만난 선생님들이 모두 좋았기 때문이다. 특히 가장 기억에 남는 선생님은 5학년 때 선생님과 지금, 6학년 때 선생님이다. 추측해 보자면, 1년 동안 가장 가깝게 지낸 선생님들이기 때문일 것 같다. 1년 동안 가깝게 지내고 있는 동건 쌤, 우리 염소(ㅎㅎ) 쌤은 비밀에 싸여 있다. 김동건 쌤에 대해서 알려진 사실은 생긴 생김새(염소+토끼같이 생기셨다), 몸무게뿐이다. 하지만 나의 대단한 방법으로 선생님의 생신까지 정확하게 알아냈다! 생신날에 꼭 멋진 편지를 드릴 것이다. 선생님은 아주 좋고 이제 우리 6-5반 아이들의 이야기를 들려줄 차례이다. 우리 반은 딱 한 마디로 표현할 수 있다. 바로 '대단하다'이다. 거의 1년 동안 우리 반을 보고 있자면 정말 '대단하다'라는 생각이 많이 든다. 우리 반 아이들의 텐션에 한번 놀라고, 또 장난기와 놀고 싶은 마음에 놀라고... 우리 반에 오면 놀랄 일이 참 많다. 이 반에서 지내면서 속상했던 점이나 짜증났던 점도 있었지만 지금 와서 보니 이런 점들 덕에 우리 반이 더 애틋해진 것 같다. 6-5반 졸업까지 잘 부탁해:)

이다해

우리 6학년 5반은 활기차고 재미있는 반입니다. 6학년 5반은 친구 데이와 학급 화폐 활동을 합니다. 친구 데이는 그달마다 생일이 가까운 친구들과 빵을 먹고 영화도 보고 장기 자랑도 합니다. 학급 화폐 활동은 한 명마다 한 개의 직업을 가지고 활동해서 2주마다 월급을 받습니다. 많은 직업들 중 인기가 많은 직업은 사랑 박스 라디오입니다. 그 직업은 사연을 들려주고 신청한 노래를 들려주는 직업입니다. 또 우리 반은 피구를 정말 좋아합니다. 선생님에게 엄청 부탁을 해서 2주마다 목요일에 야외활동을 하는 법이 생겼습니다. 우리 반 쌤을 자랑하자면 잘생기셨고 친절하십니다.

이루리

우리 반은 참 즐거운 반인 것 같다. 우리 반은 늘 하하 호호 웃음이 넘친다. 나는 그런 우리 반이 좋다. 우리 반 친구들은 각각 한명 한명 모두가 개성이 있다. 그리고 또 우리 선생님은 정말 좋으신 분이다. 우리 6-5반을 한마디로 말하자면 '천방지축'이 알맞다. 천방지축인 우리 6-5반을 잘 이끌어 나가시는 것이 정말 대단해 보이신다. 천방지축인 우리 6-5반을 이끌어 주시는 6-5반 김동건 선생님 감사합니다♥.

채유민

3월 2일 새 학기 첫날에 6학년 5반에 들어왔을 때 선생님의 이미지가 좀 강렬(?)해서 조금 무서웠는데 조금 지나니까 괜찮아졌다. 그리고 우리 반 애들은 엄청 시끄러웠고 또 시끄러웠다ㅋ. 내가 생각한 것보다 활발했다. 우리 반에서 하는 활동 중 대표적인 것은(?) 학급 화폐 활동을 한다는 것이다. 우리 반 친구들에게 바라는 점은 5교시 시작할 때쯤에 선생님이 안 오시면 부반장들이 조용히 하라고 하는데 계속 떠드는 몇몇 애들이랑 쓸데없는 질문하는 애들은 그만했으면 좋겠다.

김민석

한 반에 25명의 학생이 있는 정원초등학교의 6학년 교실이에요. 남자친구들은 운동을 정말 잘하고 독서를 잘하는 친구들도 있어요.

그리고 여자친구들은 그림을 정말 잘 그리고 공부를 정말 잘하는 친구들도 있어요. 오해도 많이 생기고 싸움도 많이 생기지만 모두 다 서로서로 배려하고 오해도 풀 줄 아는 친구들입니다.

김민준

우리 6-5반은 목요일마다 사랑박스 라디오랑 담임 체육을 하기도 하고 쌤도 좋으시고 애들이 다 좋고 착한 애들이다. 나랑 친해진 애들도 너무나 많고 중학교 올라가기 전 6학년이 좋아서 다행이다. 나는 내 친구들과 선생님이 하나하나 만들어 가는 우리 6-5반이 좋다.

김정주

우리 반을 요약하자면 재밌고, 시끄럽다라고 표현할 수 있을 것 같다. 우리 반을 단어로도 표현할 수 있는데 바로 '피구'이다. 우리반은 피구에 진심인 것 같다. 물론 못하지만... 그래도 지금까지 와서 봤을 때는 피구 실력이 오른 것 같다. 또 우리 반이 재밌고 시끄럽다고 했는데 재밌어서 시끄러운 것이다. 우리 반 쌤은 착하고, 잘생기고, 다정하십니다.

김태우

6학년 5반은 재미있는 반입니다. 각양각색의 다양한 친구들이 있습니다. 우리 반은 때로는 재미있고 때로는 싸우기도 하지만 재미있는 반입니다. 이 반에 있는 친구들은 성격도 다 달라서 더 재미있습니다. 이 반에 있으면 수업도 더 재미있어지는 것 같습니다. 저는 이 6학년 5반과 재미있는 친구들이 좋습니다.

남민성

우리 반은 일단 시끄럽고 항상 기운이 좋고 항상 들떠있고 장난끼도 있다. 그리고 애니를 좋아하는 친구도 있고 장난을 좋아하는 친구도 있다.

박성준

우리 반 친구들은 착한 친구들도 많고 친구들이 많이 활발하다. 좋은 친구들인 것 같다.

배성제

6-5반은 특이한 반이라고 생각한다. 왜냐하면 우리 반은 친한 아이들끼리 싸우지 않고 친하게 지내고 가끔은 사고도 엄청 많이 치고 선생님을 귀찮게 할 수 있지만 선생님이 너무 예쁘고 잘생겼고 귀엽고 착하셔서 너그럽게 이해한다. 우리 반의 자랑 우리 반 선생님을 소개합니다. 이름은 김동건이고 출생지 X, 생년월일 X, 우리 반 선생님은 저희를 위해 간식도 많이 사주시고 공부도 많이 시켜주시고^^ 피구도 많이 시켜주시고^^ 무엇보다 우리를 아껴주신다♥.

이규하

SNS반에는 학급 화폐 제도가 도입되어 있다. 학급 화폐 단위는 팔로워이다. SNS반 선생님의 외형은 안경을 쓰고 있고 오른쪽 팔꿈치에 상처가 있다. SNS반의 학생들은 반에서 서로 싸우는 일이 잦지 않고 화목하게 지낸다. SNS반은 서로의 잘못은 용서하고 수용하는 멋있는 반이다. SNS반은 공부를 매우 잘한다. SNS반은 모두 행복하고 긍정적으로 살고 있다.

이도윤

우리 반은 재밌다. 매일 반에서 즐거운 일이 일어나서 보는 게 꿀잼이다. 친구들과 더 친하게 지내고 싶다.

이동건

우리 반은 재밌으며 활기가 넘치는 반이며 선생님과 친구들의 성격이 활발하고 좋으면서 집중할 때는 집중한다. 그리고 2달에 1번씩 친구 데이, 담임 체육 등이 있어서 정말 재밌다. 하지만 아쉬운 점은 피구를 조금만 더 많이 했으면 좋겠다. 하지만 나는 우리 반이 참 좋다.

이혁진

우리 반 소개를 하겠습니다. 우리 반은 아이들이 자유롭고 지금까지 한 작품의 대부분 전시가 되어 있고 친구들 간의 사이가 좋습니다. 그리고 여러 가지 재밌는 활동을 합니다.

정준혁

　우리는 정원초등학교 6학년 5반이다. 우리 반은 운동을 잘한다. 그리고 각양각색으로 잘하는 것이 많다. 우리 반에는 검도를 잘하는 친구랑 자전거를 잘 타는 친구랑 태권도를 잘하는 친구랑 축구를 잘하는 친구랑 피구를 잘하는 친구랑 그림을 잘 그리는 친구와 춤을 잘 추는 친구 등등 우리 반은 무엇이든지 잘한다.

지인환

　우리 반에는 다양한 친구들이 있다. 그리고 선생님이 좋다. 친구들도 좋다. 민준이와 성제와 준혁이는 피구를 잘 한다. 나는 우리 반이 좋다.^^

3

내 짝을
소개합니다

<u>문라희</u>

　라희는 예쁘게 생겼다. 피부도 하얗고 전체적인 얼굴의 조화가
좋아서 깨끗하고 퓨어한 느낌이 물씬 난다. 항상 가지런한 머리와
깔끔하면서 특별한 스타일이 조화롭다. 성격도 쿨하고 배려심도 깊
다. 오래오래 친구하고 싶은 좋은 친구다.　**권채원**

김민지

    나의 짝은 민지다. 먼저 민지는 살짝 포뇨..?를 닮았다. 그리고 힘이 무지하게 세다. 내 개인적인 생각으로는 울 반에서 피구를 제일 잘하는 것 같다. 그리고 너무 소식좌여서 대식자인 난 매우 화가 난다ㅎ. 김나영

김나영

목소리가 예쁘고 몸으로 친구들의 기선을 한 번에 잡을 수 있으며 완전 대학생 같습니다. 친구들과 잘 어울리고 그냥 완전 예쁩니다. 김민지

채유민

　내 짝 채유민은 키가 크다. 그리고 말랐고 옷을 잘 입는다. 신기한 게 뭔가 묘하게 생겼다. 그래도 예쁘다. 유민이는 자연 갈색인데 갈색이 진해서 예쁘다. 그냥 유민이는 예쁘다.　**김지후**

이다해

우리 짝 다해는 먼저 그림을 잘 그린다. 그냥 다해가 그린 그림을 보면 '와'하며 감탄사가 나올 정도로 잘 그린다. 그리고 우리 다해는 상상력이 좋다. 저번 미술 시간에 나왔던 그 상상력이 대박이었다. 영화관을 물 속에 넣다니... 최고의 idea였다. 마지막으로 우리 다해는 패션 감각이 좋다. 편한 복장이면 편한 복장대로, 예쁜 옷은 예쁜 옷대로 정말 MZ세대의 K-컬처이다. 2번이나 짝이 되어 보니 다해의 특징이 드러나게 되어 성격을 알게 되어 좋았다. 김채윤

이루리

   조그마한 다람쥐: 내 짝은 루리다. 정말 작고 귀여운 소중한 다람쥐다. 거의 매일 머리띠를 쓰고 다니고 뭘 입어도 잘 어울린다. 렌즈를 끼고 다니지만, 안경을 써도 정말 잘 어울린다. 본받고 싶은 점은 바로 어휘력이다. 왜냐하면 말을 정말 잘하고 또박또박 말하기 때문이다. 류지원

<u>권 채 원</u>

    채원이가 이쁘게 생겨서 그리기 어려웠지만 그려보았는데 역시나 망한 느낌이다... 우선 채원이의 안경과 고양이 같은 눈꼬리가 포인트이다. 공부를 잘하고 그림을 잘 그려서 배경에 그려보았다.
문라희

배수빈

　내 짝은 수빈이다. 이 그림을 그릴 때의 수빈이는 머리카락이 길었지만 지금은 머리카락을 잘라 단발쟁이가 되어 버렸다. 수빈이는 공부도 잘한다. 수빈이와 나는 영어학원을 같이 다니는데 나와 같은 급의 반인 걸 보니 수빈이도 공부를 잘하는 것 같다ㅋ. 또 영어학원 여름방학 특강 시험에서 약 1/15 확률을 뚫고 2등을 했다!! 정말 대단한 것 같다. 나는 공동 6등이었다ㅎㅎ. 그리고 수빈이는 그림도 잘 그린다. 전부터 그림을 잘 그리더니 후에는 그리기 대회까지 나갔다! 배수빈은 천재가 분명하다.　박채은

박채은

　박채은은 참 대단한 친구이다. 피아노도 잘 치고 그림, 글도 잘 쓴다. 심지어 글씨체도 이쁘다:) 게다가 춤도 잘 춘다...!! 길을 가다가 박채은을 만난다면 알아보는 것이 좋을 것이다. 그리고 친해지는 것도 추천한다!! 박채은은 영어도 잘한다. 단어를 5분만 봐도 다 맞는다. 못 하는 것이 없는 대단한 아이다.　배수빈

김채윤

　제 짝은 채윤이입니다. 채윤이는 아기자기한 소품을 잘 만듭니다. 요즘에는 우리 반 사업 활동으로 채윤이랑 다른 친구들이 팔찌나 반지 등 귀엽고 이쁜 걸 만드는데 그런 걸 볼 때마다 손재주가 좋고 대단하다는 생각이 듭니다.　**이다해**

류지원

지원이는 그릴 때 너무 힘들었다! 왜냐하면 지원이가 너무 예쁘기 때문이다. 일단 우리 지원이는 얼굴이 작다. 눈도 아주 크고 아주 오목조목하게 예쁘장하게 생긴 것 같다♥. 안경을 쓰고 있는데 쓴 것도, 벗은 것도 다 예쁘다. 동물로 따지자면 약간... 귀여운 아기 토끼 같은 푹신한 인상이다. 눈썹이 정말 매력적이다. 연하면서도 약간 치켜 올려세워져 있는 눈썹 말이다. 지원이에게서 본받고 싶은 점이 있다면 누구에게나 친절하게 대해 주는 모습이다.

이루리

김지후

    일단 제일 먼저 지후는 안경을 썼다. 그리고 검은 맨투맨을 입었다. 그리고 얼굴의 특징은 무쌍이고 머리가 거의 단발이다. 반묶음을 했지만 그림으로 표현하지는 못했다.   채유민

김 태 우

　제 짝 태우는 모든 일을 성실히 하는 친구입니다. 아무리 힘든 일이 있어도 극복해 나가는 태우가 참 멋지다고 생각합니다. 리더십도 있어 힘든 게 있다면 언제나 달려와 주는 친구입니다. **김민석**

이규하

　내 짝인 규하는 일단 정말 착하고 친구에게 잘해주고 사랑을 많
이 주고 잘생기고 정말 착하고 성격 좋고 친구랑도 잘 지낸다. 규
하는 완벽하다.　김민준

남민성

우리 민성이 ♡

우리 민성이는 안경을 쓰고 입 위에 점, 눈 밑에 점이 있어요.
그리고 볼살이 말랑말랑해요. 참고로 민성이의 안경을 쓰면 눈이
2배로 작아져요.   김정주

김민석

　민석이는 그림 그리는 것을 좋아하는 저의 친구이자 사업 파트너입니다. 저처럼 그림을 그리는 것과 만화를 좋아하는 친구입니다. 게다가 달리기와 운동을 잘하고 잘생겼습니다. 1학기에 저는 민석이와 친구가 되고 싶었는데 2학기가 되고 짝이 되었습니다. 민석이는 저의 친구입니다. **김태우**

김정주

우리 정주의 머리는 자연 곱슬이고 눈은 정말 작고 다리가 길고 복근이 있고 멋있다. 그리고 손이 크다. 발 사이즈는 크다(260). 팔이 중간 정도로 넓다. 머리숱이 많다. 귀가 짝짝이라고 정주가 말한다. 오른쪽 귀가 작다. 왼쪽 귀는 크다. 모델 같다. 옷을 잘 입는다. 몸도 길다. 어깨가 크다. 어깨 깡패다. 청바지를 좋아한다. 머리가 작다. 머리 스타일이 멋있다. 간지다. **남민성**

이 도 윤

내 짝인 도윤이는 친절하고 말도 잘해서 좋은 친구인 것 같다. 전자기기 분해가 취미이다. 자동차에 관심이 많다고 한다. 코딩도 잘해서 나랑 관심 있는 것이 비슷한 것 같다. 앞으로 친하게 지냈으면 좋겠다. **박성준**

이동건

이 친구 이름은 이동건이고 몸이 조금 크고 성격은 엄청 착하다. 초록 머리가 가장 큰 특징이고 볼이 핑크색이고 이빨이 좀 예쁘게 생겼다. 배성제

김민준

　나의 짝은 민준이다. 민준이의 얼굴은 머리를 분홍색으로 염색했다. 하지만 물이 좀 빠져서 빨강색, 노랑색으로 보인다. 민준이의 얼굴은 약간 붉은 빛을 띄고 있고 입술은 진한 분홍색이다. 민준이는 인성이 바르고 착해서 친구한테 잘 대해준다. 민준이는 얼굴이 매우 잘생겼다. **이규하**

박성준

성준이는 처음에 보았을 때 착하게 보였다. 좋아하는 것도 비슷해서 괜찮았다. 이도윤

배성제

성제는 앞니가 크며 웃긴 표정도 잘 짓고 결막염이 있어서 공식 수업시간에 잔다. 이동건

정준혁

준혁이는 자전거를 좋아한다. 그리고 UFC와 민성이를 좋아한다. 그리고 입술 색이 예쁘다 조던 옷을 많이 가지고 있다. 또 체육을 좋아한다. 이혁진

이혁진

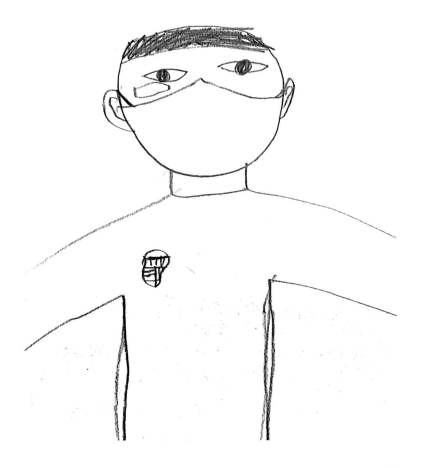

혁진이는 항상 마스크를 사랑한다. 검은색 옷을 자주 입고 잘
생겼다. **정준혁**

지 인 환

인환이는 항상 밝고 긍정적이다. 환하게 웃는 모습이 참 예쁘다. 춤을 추고 노래를 부르는 것을 좋아하는 분위기 메이커이고, 인환이와 함께 있으면 기분이 좋아진다. **김동건**

4

내 꿈은?

꿈을 꾸는 아이

나는 꿈이 많은 사람이다. 하루에 10개 정도 씩은 꼭 꿈이 생긴다. 하루하루의 사건 사고와 이슈, 인상 깊은 일에 따라 꿈이 바뀌기도 하고 생기기도 한다. 드물지만 없어지기도 한다. 그래서 나에게 꿈이라는 존재는 꼭 구름 같다. 생각이 쌓여서 만들어지고 비가 되어 쏟아지는 것처럼 무너진다. 그렇기에 더 소중하다. 그래서 내 많은 꿈들을 나만의 규칙으로 나누어 보았다. 첫 번째는 장난스러운 꿈이다. 블랙핑크나 빅뱅 콘서트 가기, 평생 살기, 날아보기 같은 꿈이 이 부류에 해당된다. '장난스러운 꿈'이라고 이름을 붙인 이유는 깊게 생각하지 않고 원하는 것들을 나타낸 꿈이기 때문이다. 두 번째는 진지한 꿈이다. 진지한 꿈에는 내 작품으로 전시회 열기, 미대 가기 등이 있다. 진지한 꿈은 내가 좋아하는 미술과 깊은 관련이 있다. 어느 정도 현실적이고, 노력이 따르는 꿈이 진지한 꿈이다. 이 외에도 소개하고 싶은 꿈이 너~무 많지만, 나머지는 마음속에 담아두고 싶어서 생략하겠다. 지금 생각난 나의 꿈은 가족들과 내 모든 꿈들을 이루면서 사는 것이다. 나는 꿈을 꾸는 아이니까. **권채원**

잼 리퍼블릭 우주 최강 킹왕짱 사랑해요.

저의 꿈은 화려하지도 않고 대단한 직업은 아니어도 행복하고 만족하게 사는 게 꿈이자 저의 또 다른 목표입니다. 아기자기한 집에서 친구와 동거하며 살고 싶습니다. 그리고 제가 부산에 살아서 눈 오는 걸 거의 못 봤는데 눈이 펑펑 오는 지역에서 살고 싶습니다! 친구랑 같이 베이킹도 하고 집도 귀엽게 꾸며서 살고 싶습니다. 그리고 제가 좋아하는 간식들도 왕창 사고 싶습니다. 크리스마스 때 트리도 같이 꾸미고 싶습니다. 그리고 전 자만추라ㅎㅎ 그리고 캐나다 남자와 연애하고 싶습니당. 그리고 친구랑 술집 가서 술도 마셔보고 싶습니당ㅋㅎ. 부모님께 차도 사드리고 싶고 된다면 댄서가 되고 싶습니다. 그리고 잼이랑 같이 춤추고 싶습니다. **김나영**

요리는 미술

제 꿈은 요리사입니다. 왜냐하면 하얀 도화지에 예쁜 색깔을 이용해 색칠하는 것과 비슷하기 때문입니다. 요리를 할 때 하얀 생크림에 색소를 섞고 예쁜 색이 나올 때까지 섞으면 물 묻은 붓으로 물감을 떠 여러 가지 색과 섞는 것 같기 때문입니다. 반죽을 해 여러 모양 틀에 넣어 오븐에 구으면 향긋하고 고소한 냄새가 어우러져 깊은 냄새를 나게 하는 것이 마치 여러 과일들이 진한 향을 내는 것 같기 때문입니다. 빵이 모두 구워지면 예쁜 색을 낸 생크림을 바르고 알록달록한 토핑으로 데코를 해주고 그 외에 여러 가지 재료로 데코를 하면 그림을 그리고 마무리로 여러 색을 이용해 바탕을 꾸며주는 것 같기 때문입니다. 이처럼 요리사의 꿈은 하얀 도화지에 예쁜 색을 내는 것과 같습니다. **김민지**

우당탕탕 나의 꿈

2023년 기준 나의 꿈은 태권도 선수가 되는 것이다. 왜냐하면 나는 운동을 좋아하고 운동은 내 인생의 전부이기 때문이다. 내가 태권도 선수가 되고 싶은 이유는 8살 때부터 지금까지 하고 있기 때문이다. 내 인생에서 가장 재미있게 한 운동은 태권도밖에 없는 것 같다. 나의 두 번째 꿈은 돈을 모아 가족과 축구를 직관하러 가는 것이다. 왜냐하면 우리 가족은 축구에 진심이기 때문이다. 특히 엄마는 토트넘에 진심이다. 기회가 된다면 꼭 토트넘 경기를 보러 갈 것이다. 마지막 꿈은 댄서이다. 왜냐하면 나는 춤을 좋아하고 스트레스를 춤으로 풀기 때문이다. 내가 좋아하는 노래에 안무를 창작하는 것은 언제나 재미있다. 나는 커서도 사고를 치는 멋진 어른이 될 것이다. 김지후

2023, 미래의 작가, 생기다.

나의 꿈은 배우...였다. 사실은 아직까지 배우가 되고 싶기는 하다. 그러나 배우로 성공하기는 어렵다는 생각이 들었다. 그렇게 장래희망에 대해 고민하던 도중에 어린이 도서 뮤지컬에 가게 되었다. 그렇게 나의 꿈은 저절로 작가가 되었다. 그런데 또 운이 좋게 우리 반이 책을 출판하는 동아리였다. 그래서 이 꿈꾸는 아이들과 다른 책도 쓰고 있다. 그렇게 미래의 작가가 되기 위해 한 발자국 앞서나갔다. 책을 쓰다 보니 조금 내가 작가와 잘 맞다는 점을 알게 되었다. 책을 쓰는 게 재미있기

도 하고, 나와 잘 맞는 것 같다. 앞으로 노력하면 내 꿈을 이룰 수 있을 것 같다. 김채윤

2023년 나의 꿈

나의 첫 번째 꿈은 가족과 해외여행을 가는 것이다. 왜냐하면 해외 풍경 사진을 보면 정말 멋지고 웅장하기 때문이다. 간다고 하면 독일, 미국, 호주 등으로 놀러 가보고 싶다. 두 번째 꿈은 부모님 차 사드리기이다. 왜냐하면 효도하면 생각나는 것이 차 사드리기, 집 사드리기이기 때문이다. 내가 돈을 열심히 모아서 멋진 차를 사드릴 것이다♥. 세 번째 꿈은 염색해 보기. 우리 반 친구들 중 염색한 친구들 한 명씩 있었기 때문이다. 대학생이 되어서 염색을 해보고 싶다. 네 번째 꿈은 아나운서이다. 경쟁률이 치열하겠지만 한 번이라도 해보고 싶다. 안되면 우리 엄마처럼 좋은 엄마가 되고 싶다. 류지원

나의 미래

내가 되고 싶은 것 여러 개를 소개해 보겠다. 첫 번째는 모델이다. 말도 안 되는 소리라고 생각되긴 하지만! 한번 도전해보고 싶긴 한 꿈이다. 두 번째는 디자인 회사에 다니는 것이다. 그냥 평범하게 회사 다니는 게 지루하거나 재미없을 수도 있지만, 그래도 평범한 회사에서 돈 많이 벌고, 평범하게 살고 싶은 꿈이 있다. 세 번째는 방송국에서 일하는 것이다. 공부를 잘해야 되어서,

좀 걱정이긴 하지만 일하면서 연예인도 보고 돈도 잘 벌고 직업이 재미있을 것 같다. **문라희**

꿈이 없어요ㅎ 히힝히ㅋ

나는 사실 꿈이 없다ㅎ. 꿈을 못 정한 이유는 어려서부터 하고 싶은 것도, 되고 싶은 것도 많았기 때문이다. 약 7년이라는 시간 동안 걸어온 피아노의 길도 있지만 피아노라는 길은 내 기준에서 너무 노잼이라 나의 꿈 카테고리에서 빼고 싶다. 그게 문제인 거다. 잘하는 게 피아노(악기) 밖에 없는데 피아노를 카테고리에서 빼 버리면 내가 잘하는 것 중 선택할 수 있는 꿈의 폭이 아주 줄어들기 때문이다. 그래서 나는 가끔 내가 뭐가 되고 싶은지 상상한다. **박채은**

내 꿈은요

나는 꿈이 있다. 내 꿈은 흔히 다들 꿈이라고 하는 의사, 판사. 경찰 이런 것이 아니다. 내 꿈은 '미래의 한 조각'이다. '미래의 나는 고양이들과 내 친구와 함께 특이하게 생긴 집에서 살고 있다. 거실에 앉아 친구들과 고양이들과 놀고 있는데 갑자기 전화가 온다. 전화를 받자 상대편은 놀라운 소식을 들려준다. 내 책을, 내 글을 정식으로 출판해 보고 싶다고 하였다. 나는 완전 동의를 했고 미래의 나와 친구들은 하루 종일 파티를 한다.' 이게 내 꿈의 한 조각이다. 이 꿈을 이루기 위해 나는 오늘도 내 꿈을 향

해 한 걸음씩 나아가고 있다. **배수빈**

새로운 미래

제 꿈은 만화작가입니다. 그 이유는 제가 그림 그리기를 좋아하기도 하고 제 적성에 맞는 직업이라고 생각해서 선택하게 되었습니다. 글쓴이의 일상을 담은 만화책을 자주 읽었었는데 그 책을 만드는 과정을 글과 그림으로 표현하고 글쓴이가 그 당시에 겪었던 고난이나 글쓴이의 고민 등을 책 안에 글과 그림으로 표현한 게 멋지다고 생각해서 만화작가라는 직업을 선택한 계기이기도 합니다. 만화작가라는 직업을 가지고 제가 겪었던 어렸을 적 일을 책에 그림과 글로 써보고 싶습니다. **이다해**

내 꿈을 위한 한걸음

나는 사실 꿈이 없다. 1년 전만 해도 꿈이 아나운서였다. 내가 그때 아나운서가 꿈이었던 이유는 내가 사람들 앞에서 설명하는 것, 말하는 것을 좋아하기 때문이었다. 근데 나는 사실 3학년 때부터 이 꿈을 꾸어 왔다. 그래서 다른 직업은 눈여겨보지도 않았다. 그것에 대해 난 지금에서야 후회가 된다. 6학년이 되니 장래 희망에 대하여 더욱 깊고 자세히 고민했던 것 같다. 또한 지금도 아주 깊게 고민하고 있다. 나는 세상에 이렇게 많은 직업이 있는지 몰랐다. 요즘은 정신건강의학과 의사가 되고 싶은 마음이 크다. 지금 가지고 있는 꿈이 꼭 아니더라도 사람들의 생활에 도움을 주고 좋은 영향을 주는 사람이 되고 싶다. 내 꿈을

위해 고민하고, 내 꿈을 향하여 열심히 달려 나갈 것이다. **이루리**

꿈이 없어요! 히히ㅎㅋ

나의 어릴 때 꿈은 경찰관이었다ㅋ. 왜냐하면 힘들 텐데도 빠르지도 느리지도 평범하지도 않게 도망가는 도둑들을 아주아주 열심히 잡으러 가는 경찰관님들이 대단해서 한 번 해보고 싶었기 때문이다. 하지만 지금 나의 꿈은 없다. 꼭 이루고 싶은 일은 내가 제일 좋아하는 그룹 맴버 포카 50장 모으기, 콘서트 가서 싸인 받기, 같이 셀카 찍기이다. 만약 방금 내가 말한 일이 모두 이루어진다면 완전 너무나도 Happy 할 것 같다. 이루어져라고 소원 빌어 주세요!ㅋ 소원 안 빌면 길 가다가 개똥 밞음ㅋ. **채유민**

끝없이 생겨나는 나의 꿈

저는 꿈이 너무 많습니다. 어떨 때는 배우, 어떨 때는 작곡가, 어떨 땐 댄서가 되고 싶을 때도 있습니다. 하지만 제가 가장 이루고 싶은 꿈들이 있습니다. 바로 애니메이터, 작곡가, 포토그래머, 유리공예사(?), 만화가, 유튜버입니다. 그중에서는 애니메이터가 가장 하고 싶습니다. 왜냐하면 그림을 그리는 것을 좋아하고 그림을 잘 그리는 건진 잘 모르겠지만 그림을 그리면 행복해지기 때문입니다. 아직 정해지진 않았지만 거의 모든 꿈을 이루고 싶습니다. 한 번에 약 5가지의 꿈을 모두 이루는 것은 힘들겠지만 꼭 열심히 해서 하고 싶은 걸 하면서 살 것입니다. 그리고 내가 이뤄내고 싶은 일은 20살이 되면 부산대에 가서 아늑한 원룸에서 생활하고 싶고, 친구들과 신나게 먹고 놀고 자고 싶고 고양이 1마리랑 이쁜 제라늄을 키우고 싶고 고양이 이름은 김랄랄리 제라늄 이름은 티타늄입니다. 그리고 누텔라 한 통을 사서 티비를 보면서 숟가락으로 파먹고 싶고, 애니메이션 하나 제작해서 유튜브에 올려서 조회 수 1억을 달성하고 싶고 공부하고 다닐 때는 연보라 후드 티에다 멋진 모자, 한 손에는 노트북, 한 손에는 흑당 버블티를 들고 거리를 걸어 다니고 싶습니다. 그리고 돈 좀 생기면 드로잉 카페를 열어서 잘 먹고 살고 싶고 미국 뉴욕에 가서 공부하다 오고 싶고 착하고 예쁘고 박력 있는 여친을 사귀고 싶습니다. 김민석

행복하게 살 수 있는 나의 직업

나의 꿈은 좋기로 소문난 연세대를 졸업해 대기업 중의 대기업인 삼성의 직원이 되는 것이다. 삼성은 해외에서도 유명한 폰과 전자기기 브랜드이다. 내가 이 직업을 택한 이유는 삼성이라는 대기업에 들어가 돈을 많이 벌고 누구보다 행복하게 살고 싶기 때문이다. 어릴 때부터 삼성이라는 대기업 이야기를 듣고 관심이 있었지만, 점차 꿈이 없어지고 꿈을 찾지 못했었다. 그러나 6학년이 되어서 돈을 많이 벌고 행복하게 살 수 있는 직업을 찾아보던 중 삼성이라는 대기업을 알게 되었다. 그때 이후로 나의 꿈은 대기업 중의 최고인 삼성 회사의 직원이 되는 것이 되었다. 그렇게 열심히 일해 돈을 많이 벌고 부모님께 좋은

차를 사 드리고 싶다. 또 나는 좋은 차를 사고 2층짜리 마당이 있는 단독 주택에 살게 되어 강아지와 뛰어놀며 행복한 나날을 보내고 싶다. 또한 부모님께 효도도 하고 싶다. 이와 같은 꿈을 위해 나는 열심히 꿈을 이루기 위해 열심히 노력해 꼭 삼성에 취직할 것이다. 김민준

미친 스피드로 달리는 축구 선수

나의 꿈은 손흥민 같은 축구 선수가 되는 것입니다. 왜냐하면 손흥민은 달리기, 축구 센스, 민첩성, 인성까지 모두 갖춘 선수이기 때문입니다. 본받고 싶은 점은 바로 왼발 슛과 달리기입니다. 이 두 장점은 손흥민 선수의 무기라고 할 수 있습니다. 그리고 제가 살고 싶은 인생은 피파 공식 경기에서 뛰어보는 것입니다. EPL의 아스날이나 맨시티, 이탈리아 리그의 유벤투스나 K리그의 울산 현대에서 뛰어보고 싶습니다. 그리고 제가 행복하게 느끼게 하는 일은 축구입니다. 김정주

소확행 애니메이터

저의 꿈은 유튜버입니다. 아니 정확히는 유튜버 애니메이터입니다. 저는 미래에 애니메이터가 되기 위하여 그림 연습을 많이 하고 미술 학원을 열심히 다니며 관련 공부도 많이 합니다. 그래서 여러 가지 도구나 프로그램을 잘 다룹니다. 저는 다른 유튜버 애니메이터들을 보며 유튜브 애니메이터라는 꿈을 가지게 되었습니다. 저는 그 꿈을 이루기 위해 열심히 연습하고 있습

니다. 저는 많은 사람들에게 소소하지만, 확실한 행복을 주는 유튜버가 되고 싶습니다. **김태우**

내 꿈은 UFC 선수

내 꿈은 UFC(MMA) 선수이다. UFC 선수가 되고 싶은 이유는 UFC 선수가 싸우는 게 엄청 멋지고 이기고 나니 세레머니가 너무 멋있고 정찬성 vs 맥스 할로웨이가 싸우는 걸 봤는데 엄청 멋있었다. 코리안 좀비 정찬성이 졌지만 잘한 것 같았다. 그 경기를 보고 UFC 선수가 되고 싶다는 생각이 들었다. UFC는 많이 위험하긴 하지만 그래도 열심히 훈련하고 연습해서 다치지 않고 했으면 좋겠다. 나도 코너 맥그리거, 올리베이, 할로웨이처럼 잘 싸우고 싶고 UFC 경기에서 챔피언이 되었으면 좋겠다. 그리고 UFC 선수가 되었으면 좋겠다. UFC 경기에서 동건이를 만나면 이겼으면 좋겠다. **남민성**

매일매일 새로운 하루

나는 매일매일 새로운 경험을 하고 같은 일이 반복되지 않는 일을 하면 좋겠다. 왜냐하면 매일 같은 일만 하면 우울해질 수 있고 일에 흥미를 느끼지 못할 수도 있기 때문이다. 나는 일에 흥미를 느끼고 싶기 때문이다. 그리고 그게 내가 회사원이 되기 싫어하는 이유 중에 하나다. 매일 같은 일만 시켜서 정말 힘들 것 같다. 그리고 나는 주동자가 있는 직업보다는 여러 사람들이 모여서 같이 일하는 직업을 가지면 좋겠다. **박성준**

도움을 주는 유튜버

나의 꿈은 미스터 비스트이다. 왜냐하면 미스터 비스트는 전 세계에서 유튜브 구독자와 돈이 가장 많은 사람이다. 비스트는 각종 콘텐츠를 해서 돈을 주는 컨텐츠를 만든다. 그리고 가장 뜻깊었던 영상은 시각장애인과 청각 장애인 귀를 들리게 해주거나 눈을 보이게 해준다. 내가 왜 미스터 비스트처럼 부자가 되길 원하냐면 미스터 비스트가 장애인을 고쳐주는 게 너무 감동을 받아 나도 돈을 많이 벌어 장애인이나 복지센터 후원을 하고 싶고 후원을 하고 남는 돈으로 발로란트라는 게임에 현질도 하고 싶고 람보르기니나 페라리를 사고 싶다. 집은 미국에 엄청 큰 저택을 사고 나의 초콜릿 공장을 차리고 싶다.　**배성제**

내 꿈

나의 꿈은 치과 의사로 돈을 많이 번 후 그 돈으로 돈을 많이 버는 회사를 설립하여 돈을 조 단위로 번 후 경영은 다른 사람에게 시키고 외국에서 행복하게 사는 것이다. 내가 원하는 행복한 삶은 호주나 미국, 영국 같은 곳에서 1000평짜리 대저택을 짓고 매일 비싼 음식을 먹으면서 게임만 하는 삶이다. 그리고 벌레는 한 마리도 나오지 않고 사람 만날 일도 잘 없으면 좋을 것 같다. 나는 공부를 싫어하지만 이런 삶을 살려면 시대에 맞는 사업을 하는 능력과 높은 지능 등의 능력이 필요하기에 공부를 잘해야 한다고 생각한다. 그래서 나는 내가 원하는 삶을 살기 위해 공부를 열심히 할 것이다.　**이규하**

사장

저의 꿈은 사장이 되는 것입니다. 사장이 되면 직원들에게 일을 시키고 수익을 모아서 나의 생활에 쓸 것입니다. **이도윤**

내 꿈은 UFC 선수

내 꿈은 UFC 선수이다. 그 이유는 코너 맥그리거와 같은 UFC 선수가 되고 싶기 때문입니다. 그리고 친구들과 싸우거나 샌드백을 치면 기분이 좋아서 더욱 하고 싶습니다. 그리고 UFC 선수가 되면 인기도 많아지고 돈도 많아지기 때문에 더욱 하고 싶습니다. **이동건**

내가 하고 싶은 것

나의 꿈은 내가 좋아하는 것을 마음껏 하기이다. 내가 하고 싶은 것 1번은 원하는 만큼 자기이다. 항상 7시 30분에 일어나 준비를 하는 건 너무 피곤하다. 주말엔 많이 갈 수 있지만 많이 자면 두 번째 이유인 게임 마음껏 하기를 할 수 없다. 그 이유는 컴퓨터로 게임을 하는데 컴퓨터가 형들 꺼여서 일찍 일어나지 않으면 할 수 없다. **이혁진**

픽시 사기

나는 픽시샵에 가서 룩R96을 살 것이다. 그리고 친구들이랑 같이 픽시를 타고 대규모 스크릿 라이딩을 할 것이다. 그

리고 젠2를 사서 룩에 장착할 것이다. 그리고 신나게 타고 다닐 것이다. **정준혁**

축구 선수!

먼저 축구 선수 손흥민을 만나고 싶다. 음바페도 만나고 싶다. 축구 선수가 되어 호날두와 함께 골을 넣고 싶다. 김승규 골키퍼를 제치고 골을 넣을 것이다. 그리고 대한민국 파이팅! 지인환

5

꿈을
이루었을 때의
내 모습

designed by. 김민지

권화백

　　　　내 꿈은 '권화백'이다. 나는 예술에 관심도 많고 너무너무 좋아한다. 그래서 그림을 그리며 살고 싶다. 최종적인 목표는 루브르 박물관 아트 갤러리에 내 작품이 걸리고 루브르 박물관에도 내 작품이 모나리자 옆에 전시되면 좋겠다. 왠지 모나리자 옆 작품은 주목을 받을 것 같다. 사실 이런 거창한 꿈 말고도. 다양한 '권화백'으로서의 꿈이 있는데 그림에 집중할 수 있도록 한 방 전체를 그림 그리는 작업실로 만들고 싶다. 또 유튜브를 활용해 그림을 발전시킬 수 있도록 그림 그리는 것을 주제로 유튜브 채널도 만들어 보고 싶다. 아 그리고 마지막으로 성공했을 때 그린 내 그림이 엄마, 아빠 카톡 프로필에 걸리면 좋겠다. 지금도 가끔 걸리지만 유명해졌을 때 내 그림이 엄마, 아빠 카톡 프로필에 걸린다면 뜻깊을 것 같다. 이 모든 꿈들을 이루고 난 나는 어떨까?　**권채원**

잼 리퍼블릭 새 맴버

　　　　　　난 나만의 간식 창고를 만들고 싶다. 정말 소소하지만 내가 돼지라서 군것질을 너무 좋아하는데 입이 심심할 때마다 간식을 하나씩 꺼내 먹으면 너무너무 행복할 것 같다. 그리고 내가 스우파와 스걸파를 좋아하는데 스우파와 스걸파 콘서트에 가서 박채은과 춤 대결을 해 내가 공중 부양 댄스로 3:0으로 이겨서 잼 리퍼블릭 맴버들이 감동을 해서 내가 잼 리퍼블릭 새로운 맴버가 된다. 나는 댄스로 성공해 돈을 왕창 벌었다. 그래서 친구들과 세계여행도 왕창 가고 부모님께 강남 아파트 10채를 사드릴 것이다. 그리고 간식 창고도 만들고 풍자언니와 맛집 탐방! 랄랄언니와 듀엣! 그리고 외국에 가서 한달 살기를 하고 싶다!! 그리고 미스터 비스트 유튜브 계정에 출연하고 싶다. **김나영**

돈 많은 백수

저는 일단 아침을 고층 빌딩 꼭대기에서 시작하고 싶고 고층 빌딩 꼭대기에서 편안한 아침을 먹고 싶습니다. 일단 아침은 우와~하게 먹고 하루를 시작해 남자친구를 불러 고급 백화점에서 샤넬이랑 루이비통 신상을 사서 남자친구랑 바다가 보이는 카페에 가서 데이트를 하고 부모님 댁에 들린 후 음식점에 가서 점심을 평민처럼 먹고 드라이브하면서 시간을 보내고 싶습니다. 저녁에 집에 가서는 거지처럼 넷플릭스를 보면서 저녁은 거지처럼 먹고 싶습니다. 그리고 디저트로 간식을 겁나게 먹고 넷플릭스를 보다가 자면서 하루를 끝낼 것입니다. 끝. **김민지**

다 큰 지후의 꿈

내가 첫 번째로 이루고 싶은 꿈은 돈을 모아서 가족들과 축구를 보러 가는 것이다. 돈을 많이 벌어서 1번은 레알 마드리드를 보고 2번은 PSG를 보고 3번은 뮌헨을 보러 가는 것이다. 왜냐하면 우리 집은 축구를 좋아하기 때문이다. 두 번째 이루고 싶은 꿈은 원밀리언처럼 전 세계에서 인기 있는 댄스 아카데

미를 여는 것이다. 나는 춤추는 것을 좋아하기 때문이다. 내가 댄스 아카데미를 연다면 열심히 춤을 가르칠 것이다. 세 번째 꿈은 저스크 절크에 들어가는 것이다. 왜냐하면 저스트 절크의 리더 염제이가 나의 롤모델이기 때문이다. 칼 같은 춤 선을 보이며 환호성 받는 사람이 될 것이다.　**김지후**

My Dream

　　　　내 꿈은 정말 소박하다. 먼저 엄마와 단둘이서 서울로 1박 2일 여행 가기이다. 왜냐하면 둘이서 하고 싶은 이야기도 정말 많고 가고 싶은 것도 많기 때문이다. 먼저 단둘이서 서울에 간다면 지브리 팝업 스토어에 가고 싶다. 나와 엄마는 지브리를 엄청 좋아하기 때문에 그곳에서 시간을 보내고 싶다. 그다음으로는 미니브 팝업 스토어도 갈 것이다. 항상 이곳에 가고 싶어 했는데 서울에 있어서 가지 못했다. 이외에 탕후루, 마라탕 먹기 등 하고 싶은 것이 엄청 많다. 그다음 꿈은 아이브 콘서트/팬 미팅 가기이다. 나는 아이브를 사랑하기 때문에 팬 미팅에 가서 한 명씩 싸인을 받고 사진도 찍고 싶다. 세 번째는 부산과학고등학교 가기이다. 나는 내 생각으로는 예체능 쪽이 아닌 게 확실하다. 그래서 지금부터 수학, 과학을 열심히 공부하고 있다. 내 머리(?)가 될지는 모르겠지만 엄마가 "노력하면 다 된다"고 말한 것만 믿고 열심히 공부할 것이다. 네 번째는 조금 꿈이 크지만... 카이스트 가기이다. 부산과학고를 가서 우수한 성적을 거두어 카이스트를 가고 싶다. 전교 1등을 해야 된다고 하던데... 나는 부산과학고만 가도 행복하다. 나는 정말로 공부로 성공하는 사람이 되고 싶다. 마지막은 엄마 아빠 해외여행 보내드리기이다. 공부로 성공하고 싶은 이유도 돈 많이 벌어서 엄마, 아빠 여행을 보내드리기로 했기 때문이다. 여행 목적지는 핀란드/아일랜드 둘 중 한 곳으로 보내드릴 것이다. 비행기는 비즈니스석이라나 뭐라나.. 나는 솔직히 다 이루는 것을 원하지는 않는다. 그냥 행복하게 살며 하나하나씩 이루어 갈 것이다. **김채윤**

나의 꿈이 이뤄진다면

나의 첫 번째 꿈은 해외여행이다. 내가 만약 해외여행으로 미국에 간다면 일단 미국의 유명한 관광지인 뉴욕에 가서 자유의 여신상도 보고 링컨 박물관도 가서 구경을 할 것이다. 맛있는 것도 잔뜩 먹을 것이다. 두 번째 꿈은 염색이다. 우리 학교에 염색한 친구들을 자주 보니 그런 마음이 생긴 것 같다. 전체적으로 하기보다는 밑머리만 살짝 하는 정도로, 진한 파랑색으로 하고 싶다. 세 번째 꿈은 부모님 차 사드리기이다. 그 시대에 있는 좋은 차를 선물해 드릴 것이다. 부모님은 아주 멋진 차를 타고 다니실 것이다. 헤헷! 네 번째 꿈은 아나운서이다. 내가 아나운서가 되어 발음이 또박또박해지면 뉴스에도 나와서 글을 읽고 은퇴 후 멋진 엄마로 살고 있을 것이다. 미래가 기대된다♥. **류지원**

꿈은 이루어진다

나는 항상 꿈은 크게 꾸는 것이라고 생각하기에 말도 안 되는 엉터리라도 이루어질 것이라고 믿는다. 첫 번째는 강남 한복판에 건물을 지어서 60세까지 월세를 받으면서 살고 싶다. 언제나 행복은 돈으로 살 수 없다고 하지만 사실 살 수 있다. 사는 게 아니라 돈이 많으면 행복하기에 언제나 돈을 많이 벌고 싶다. 두 번째는 얼굴이 카리나 마냥 이뻐졌으면 좋겠다. 사실 지금도 이쁘긴 한데 더 이뻐지면 좋으니 이뻐져서 자신감 있게 행복하게 살고 싶다. **문라희**

슬릭백을 성공하는 게 나의 꿈

나는 슬릭백을 한 번도 성공한 적이 업따..... 휴..... 그래서 나는 소박하지만 슬릭백을 성공하는 게 꿈이자 목표이다ㅎㅎ. 집에서 혼자 슬릭백을 이상하게 추는 게 자존심이 상한다. 어느 날 갑자기 제 발로 찾아와서 슬릭백을 짜잔하고 성공하면 기분이 하늘을 뚫고 날아갈 것 같이 행복할 것 같습니다. 그리고 노래를 갑자기 엄청나게 잘하게 돼서 노래방에서 부르는 노래마다 족족 100점이 나오게 된다면 슬릭백을 성공했을 때처럼 하늘을 날아갈 것 같다. 그리고 스우파 콘서트에 가서 스우파 맴버들이 김나영과 내 손을 잡고 무대에 가서 나영이와 춤 대결을 펼치다 커스틴이 내 춤에 감동하여 나만 잼 리퍼블릭에 캐스팅해 주었으면 좋겠다. **박채은**

내 꿈의 한 조각

　　　　　햇살이 눈부신 아침이었다. 참새가 지저귀는 소리에 저절로 눈이 떠졌다. 커튼을 치고 창문을 여니 시원한 바람과 따스한 햇살이 얼굴을 간질였다. 방문을 열고 거실로 나가니 고양이들이 쪼르르 나를 따라왔다. 고양이들을 보며 미소 지었다. "언제 일어났어?" 가끔 고양이들에게 말을 걸면 고양이들이 내 말을 알아듣는 듯한 느낌이 들었다. "배고프지? 어서 밥 먹자!" 고양이들이 밥이라는 말을 알아 들었는지 나를 따라왔다. 내가 인테리어 한 이 집 구조는 언제 봐도 마음에 들었다. 고양이들에게 고양이 전용 참치캔과 사료, 물을 주고 나도 아침 먹을 준비를 했다. 아침은 내가 제일 좋아하는 샌드위치를 먹었다. "내가 샌드위치 하나는 잘 만들지!" 고양이들을 밥 먹는데 열중하느라 내 말을 못 들은 척 했다. 피식 웃음이 나왔다. '밥이 중요하긴 하지' 이런 생각을 하며 나도 샌드위치를 한 입 베어 물었다. 절로 감탄이 나오는 맛이었다. "과연 이 세상에 샌드위치보다 맛있는 것이 있을까? 아~ 너희들은 참치캔이 제일 맛있겠구나." 고양이들이 맛있게 먹는 모습을 보니 배가 불렀다. 그래도 오늘은 나에게 되게 중요한 날이라서 아침을 든든히 먹어두어야 했다. "잘 먹었습니다!!" 그릇을 들고 주방으로 향했다. 어젯밤에 설거지 해놓은 나를 칭찬하며 웃었다. "아침까지 다 먹었으니 이제 청소 좀 할까? 온통 너희 털투성이야!" 고양이들이 관심 없다는 듯이 나를 무시하고 캣타워로 향했다. "에휴 너희 털이니까 너희가 치워야지! 오늘 되게 중요한 날이라서 집이 깨끗해야 마음이 편하단 말이야!! 응? 제발.." 나의 간절한 요청에도 고양이들은 들은 척도 하지 않았다. 몇 초 후 가장 나를 따르는 고양이가 나에게 다가왔다. 미소가 지어졌다. "너무 착하다!! 아주 칭찬해! 그럼 청소 시작!!" 그 고양이와 함께 청소를 시작했다. 고양이와 청소를 한다니 말도 안 되지만 그래도 함께 있는 것만으로도 도움이 됐다. 어느새 집에서 빛이 나기 시작했다. 마침내 청소가 끝났다. "덕분에 빨리 끝냈어, 고마워" 청소를 도와준 고양이를 쓰다듬어 주며 말했다. 어느새 시곗바늘이 12를 향해 가고 있었다. "어떡해 너무 떨려... 30분 밖에 안 남았다니!" 내가 긴장하자 캣타워에 있는 고양이들 모두 내 곁으로 와 앉았다. 비록 청소는 도와주지 않는 고양이지만 이렇게 내 마음을 알고 같이 있어주니 기분이 좋아지고 긴장이 풀렸다. "좋아! 너희 덕에 긴장이 풀리네!" 점심은 발표가 끝난 후에 먹기로 했다. 고양이들도 조금만 있다가 같이 먹기로 했다. 12시 20분, 고양이들 사이에 누었다. 그리곤 눈을 감았다. 그때 전화벨이 울렸다. 전화를 받으니 기다리고 있던 내 책에 대한 기쁜 소식이 들려왔다. 내가 듣고 싶었던 이야기라서 기다렸던 이야기라서 더욱 감동적이고 기뻤다. 다음 주 주말에 르세라핌 콘서트를 가는데 좋은 일이 하나 더 생겨서 더욱 기뻤다. "내가 해냈어!!"   배수빈

상상의 덕질

내가 이루고 싶은 꿈은 너무 많은데 거의 다 덕질에 대한 것이다. 일단 블랙핑크 응원봉을 사고 콘서트, 팬미팅가기와 방탄소년단 응원봉 사기, 콘서트, 팬미팅 가기이다. 나는 하고 싶은

것과 갖고 싶은 것이 너무 많다. 첫 번째로 내가 블랙핑크나 BTS 콘서트를 가려면 아이돌과 가장 가까운 좌석 티켓팅을 성공해서 응원봉을 들고 맨 앞자리에 앉아서 카메라를 키고 휴대폰을 흔들고 있는데 아이돌이 내 폰으로 셀카 왕창 찍고 영상도 찍어주고, 팬미팅에 가서 블랙핑크가 내가 주는 선물도 받고 내 폰 케이스에 싸인도 해주면 너무 행복할 것 같다. 이것들은 다 상상이지만 실제로 이런 일이 생기면 대박일 것 같다. **이다해**

Happy Life

내가 이루고 싶은 꿈은 아주 많다. 일단 먼저 나는 정신의학과 의사가 되고 싶다. 그 꿈을 이루기 위해 나는 의대를 가고 싶다. 왜냐하면 정신의학과 의사가 되려면 의대를 졸업해야 순조롭게 할 수 있기 때문이다. 의대를 졸업하고 정신의학과 의사가 될 수 있는 과정을 거치고 사람들의 심리를 보듬어 주는 멋진 정신의학과 의사가 될 것이다. 정신의학과 의사 생활을 하며 멋지고 마음이 안정된 남자친구를 만나 내가 모아둔 돈으로 (잔디가 있는 2층) 주택을 지어 한 방을 아이유 덕질 방으로 꾸미고 또 다른 한방은 나의 사무실 즉, 업무 처리 방으로 쓸 것이다. 2층 다른 방에는 도서관같이 책장으로 꽉꽉 채워 지내고 싶다. 또 한 방에는 커피숍 느낌으로 꾸며 커피 원두 가루를 놓고 맨날 낮에 남자 친구와 함께 커피 냄새로 그득한 방에서 여유롭게 커피를 내려 마시고 싶다. 또 함께 1년에 한 번씩은 아이유 콘서트에 가는 삶을 살

것이다. 이런 나의 꿈이 다 이루어지게 된다면 나는 더 이상 바랄 것 없이 아주 좋을 것 같다. 이루리

10년 뒤 내 모습

나는 제일 먼저 아이돌 팬싸에 가고 싶다. 아이돌 팬싸에 갔다가 온 뒤에는 콘서트에 가고 싶다. 그리고 내가 3번째로 이루고 싶은 일은 로또나 복권에 당첨되고 싶다. 만약 진짜 당첨된다면 나는 내가 하고 싶은 것과 내가 원하는 것을 다 살 것이다. 그리고 하고 싶은 일은 하루종일 내 루틴대로 살고 싶다. 내가 하고 싶은 것은 아이돌 앨범 왕창 사기이다. 만약 진짜로 이게 이루어진다면 나는 완전 행복할 것 같다. 내 루틴은 학교, 학원, 다 안 가고 공부도 안 하고 유튜브만 보고 하루 종일 누워있는 것이다. 채유민

내가 꿈을 이뤘을 때 나의 모습은...

내가 그토록 바라고 바랐던 꿈 애니메이터가 되었을 땐 상상이 가질 않을 것 같다. 실감이 가지 않는다는 그 느낌. 기분이 좋아 펄쩍펄쩍 뛰며 매우 좋아할 것이다. 아직은 내가 나의 꿈을 이루었을 때 모습은 알 수 없지만 분명 매우 행복할 것 같다는 예상을 할 수 있다. 상도 받고 친구도 셀 수 없이 만들고, 행복할 그 날을 꿈꾸며... 김민석

나의 꿈은 울산 현대

나의 꿈은 울산 현대 선수들과 사진을 찍고 울산 현대 옷에 사인을 받는 것이다. 왜냐하면 나는 축구를 좋아하고 울산 현대를 좋아해서이다. 꿈을 이뤘을 때의 내 모습은 사진을 찍고 유니폼에 사진을 받자마자 감격스러워서 눈물이 날 것이고 집에 돌아오는 길에 친구들한테 자랑하고 인스타에 선수들과 찍은 사진을 올리고 선수들도 태그해 올려서 또 다시 한번 자랑하고 집에 와서 액자에 옷을 넣고 우리 집 거실 벽에 못을 박아 걸어두고 내가 찍은 사진은 프린트해서 내 방에 걸어두고 아침에 일어나서 모닝커피를 마시며 사진과 싸인 유니폼을 보며 여유롭게 다 마시고 학교로 가서 또 다시 자랑을 하는 것이다. 이렇게 꿈을 이루면 나는 너무나도 행복하고 감격스러울 것이다. 내 꿈이 실제로 이루어질 수 있다면 굉장히 좋을 것이다.   김민준

챔피언스 리그 우승

아침 일찍 일어나 단백질을 보충하고 팀 FC 바르셀로나에서 훈련을 한다. 감독인 메시가 전술을 보여주게 되고 우리 팀 선수들과 상대팀 '맨시티'를 만나게 된다. 선수들이 입장하며 사람들은 환호성을 지르게 된다. 경기 시작 후 팽팽한 경기가 이루어지며 전반전의 끝이 된다. 후반전 81분 0:0인 가운데 내가 권도안의 칼 같은 패스를 받고 골키퍼와 1:1 상황이 된다. 내가 왼발 감아차기로 찼을 때 골이 들어간다. 사람들은 환호성을 치며 킴정주라고 부른다. 그렇게 경기는 1:0으로 바르셀로나가 32시

즌 챔스를 우승하고 내가 트로피를 들어 올렸다. 챔스 우승을 끝낸 이후 나는 라리가에서 32시즌 최고의 선수라 평가받았고 라리가에서 선수 생활을 8년을 하고 K리그로 넘어가 울산 현대에서 주장으로 뛰며 울산 현대를 K리그에서 2번 우승시키고 내 선수 생활이 마무리된다. 나는 선수 생활이 끝나고 감독이 된다. 나는 감독에서도 잘하여서 기사에 히딩크, 무리뉴 그리고 김정주... 라는 기사가 나온다. 나는 감독 생활이 끝나고 챔스 2회 우승 이탈리아 리그 3번 우승이라는 업적을 세우고 축구 인생을 마무리하게 된다 (꿈이 큰 어린이^^). **김정주**

나는 어떻게 살 것인가

나의 꿈은 유튜버, 애니메이터가 되어 라이브로 규카츠를 만들어 먹는 것이다. 또한 잠뜰님과 마플님을 실제로 보고 싶다. 나는 한적한 대학가(?)에 4층 주택을 지어 1,2층은 카페, 3층은 내 집이자 수영장, 4층은 내 집, 옥상에는 바비큐장을 만들고 싶다. 바비큐장에서는 그릴에 '규카츠'를 구워 먹고 싶다. 미래에는 여행이나 캠핑도 많이 다니고 싶다. 1달에 1번은 아이슬란드로 여행을 가고 싶다. 또 하나의 꿈은 운터님과 TGS(Tokyo Gama Show)에 놀러가는 것이다. 또한 AWC(Adofai World Cup)에 나가서 우승 상금으로 '규카츠'를 먹고 싶다.
결론: '규카츠' 먹고 싶다. **김태우**

UFC 선수

　　　　　꿈을 이루었을 때 나의 모습은 UFC 경기장에서 싸우고 있을 것 같고 챔피언 타이틀을 입었을 것 같다. 그리고 유명한 사람이 될 것 같고 UFC 경기장에서 동건이를 이겼을 것 같다. 유명한 UFC 선수랑 친해졌을 것 같고 돈을 많이 벌고 좋게 살 것 같다. 그리고 인스타 팔로워도 많을 것 같다. **남민성**

잘 맞는 친구와 함께

　　　　　나는 꿈을 이뤘을 때 과학고에 진학할 것이다. 그곳에서 공부를 열심히 해서 좋은 대학교에 갈 것이다. 하지만 내가 과학고에 가려는 이유는 하나가 더 있다. 과학고에는 수학에 관심이 있는 친구들이 많을 수 있어서 영재원에서 친한 친구를 몇 명 만들었듯이 과학고에서 친한 친구를 만들 것이다. 그리고 같이 대화도 하고 공부도 하면서 고등학교 3년을 알차게 보낼 것이다. 과학고에서 프로젝트도 하던데 내가 과학고를 가게 되면 프로젝트도 참여해 보아야겠다. 코딩 관련 프로젝트나 정보 올림피아드도 나가보고 싶다. 그리고 공부를 열심히 해서 카이스트에 가보고 싶다. 가게 된다면 황새도 보고 코딩 공부도 열심히 하면서 나만의 AI 모듈도 만들어 보고 코딩 관련 회사에 취직을 해보고 싶다. **박성준**

배성제의 혁명적인 비즈니스

　　　　　나의 진짜 꿈은 미스터 비스트처

럼 초콜릿 공장을 하여 부자가 되는 것이다. 꿈을 이루고 나의 꿈은 제일 큰 옥탑방이나 주택을 지어서 주택에는 수영장, 오락실, 레스토랑을 만들어서 규하와 나의 아지트를 만들어서 하루 종일 롤, 발로란트, 원신, 붕괴, 스타일을 함께 할 것이다. 밤에는 한 잔을 할 것이고 여름에는 수영장에서 수영할 것이다. 옥탑에는 방이 2개 있는데 방 한 개는 PC방을 만들고 다른 방은 침실을 만들고 거실에는 플스를 설치하여 게임을 하고 주방을 만든다. 밤에는 옥탑방에서 규하와 한잔을 할 것이다. 그래서 규하와 오래오래 행복하게 살 것이다. 배성제

나와 성제의 행복한 삶

나의 꿈은 치의대를 나와서 치과 의사로 돈을 많이 벌고 건물과 땅을 많이 사서 아무것도 안 하면서 평생 먹고 살 수 있는 사람이 되고 싶다. 그 돈으로 미국에 엄청 큰 대저택을 짓고 성제와 살 것이다. 컴퓨터와 장비도 제일 좋은 것으로 맞추어 놓고 항상 스테이크, 대 게 같은 비싼 음식만 먹으면서 사고 싶은 모든 만화책을 사면서 사치를 부리며 살 것이다. 그리고 밖에 나가는 건 귀찮으니까 항상 집에만 있고 음식은 전부 배달로 시켜 먹으면서 살 것이다. 이규하

꿈을 이뤘을 때의 내 모습

내 꿈은 복권 당첨이 되어 건물주가 되는 것입니다. 먼저 어른이 되어 복권에 당첨이 되면 바로 집부터

사고 차도 살 것입니다. 돈이 남으면 엄마 아빠에게 줄 것입니다. 대기업 CEO가 되면 수익을 개발하는 데 쓸 것입니다. 건물주가 되면 건물을 모두 나만의 공간으로 만들 것입니다. 1층: 스타벅스, 2층: 설빙, 3층: 마트, 4층: 노래방, 5층 게임방입니다. **이도윤**

스케이트 보더

　　　　　내 꿈은 스케이트 보더다. 이유는 요즘 스케이트 보드를 많이 좋아하기 때문이다. 스케이트 보더가 된다면 대표 소속에 들어가 올림픽에 나가고 싶고 캐나다에서 단풍나무로 직접 스케이트 보드를 만들고 싶다. 그리고 은퇴한 후에는 스케이트 보드 샵을 열어 직접 크루를 만들고 싶다. 어서 보드를 타러 다니고 싶다. **이동건**

나의 미래

　　　　　나는 꿈이 2개이다. 첫 번째는 세계의 나라를 돌아다니며 그 나라의 대표적인 음식을 먹고 싶다. 왜냐하면 우리나라의 음식은 여러 번 먹어봤으니 다른 나라의 음식을 먹고 싶다. 그리고 이 꿈을 꾼 이유는 유튜브를 보다 어느 한 유튜버가 세계의 음식을 먹는 모습이 부러워서이다. 두 번째는 유명한 유튜버가 되고 싶다. 왜냐하면 내가 보는 유튜브처럼 유명해져서 다른 유튜버도 만나고 내 영상으로 돈을 벌고 싶다. 그 돈으로 부모님께 효도를 하고 싶다. 그리고 서울에서 살고 싶다. **이혁진**

네덜란드 가기

일단 고등학교를 부산체고에 가서 경륜을 배워서 경륜 선수를 하고 싶다. 그리고 경기를 잘 뛰고 훈련도 열심히 해서 SS급 선수가 되고 싶다. 그리고 돈을 모아 네덜란드로 이민을 가서 암스테르담에서 살고 싶다. 마당이 엄청 넓은 집에 가서 벨로드롬 경기장을 만들어서 타고 싶다. 그리고 중간에 로라 여러 대랑 훈련용 바이크를 배치하고 타고 싶다. 네덜란드 싸이클 팀에 들어가서 동료들과 훈련해서 올림픽에서 1등 하고 싶다. 동료들과 집에서 같이 밸로드롬 타면서 놀고 싶다. 그리고 아시안 최초로 뚜르 드 프랑스에서 우승하고 싶다. 그리고 예쁜 여자를 찾아서 결혼하고 은퇴하고 싶다. 그리고 네덜란드에 작은 자전거 공방을 차리고 싶다. **정준혁**

꿈을 이뤘을 때의 내 모습

아이돌이랑 같이 밥 먹기, 아이돌이랑 같이 춤추기, 친구들이랑 내 집에서 마피아하고 자기, 선생님이랑 같이 놀이동산 한번 가보기, 친구들이랑 영화 보기, 형이랑 놀러 가고 싶다. 아이돌 콘서트 가고 싶다. **지인환**

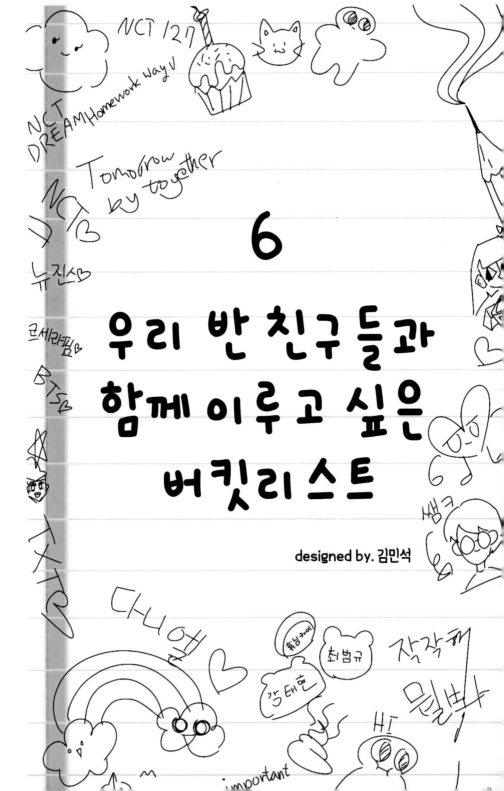

6

우리 반 친구들과
함께 이루고 싶은
버킷리스트

designed by. 김민석

<권채원>

▶**롯데월드 가기**: 만약 우리 반이 롯데월드에 간다면, 첫째, 놀이기구를 탈 것이다. 당연한 이야기일 테지만, 롯데월드는 놀이기구가 핵심이다. 재미있으려면 스릴 있는 놀이기구가 좋을 것 같다. 둘째, 맛있는 음식이다. 금강산도 식후경이라는 속담처럼 놀이기구를 타며 신나게 놀고, 맛있는 것 많이 먹으며 행복한 하루를 보내고 싶다.

▶**고기 구워 먹기**: 일단 우리 반은 선생님 포함 26명이나 되니까 모두가 만족할 수 있을 소고기를 먹는 게 합리적일 것 같다. 비싸겠지만... 버킷리스트니까. 그리고 비계를 싫어하는 친구들이 많아서 느끼하지 않고, 적당히 담백한 부위로 고르는 것이 관건일 것 같다. 그나저나 상상하니까 점점 배고파지는 것 같다. 오늘 저녁은 소고기!

▶**방방 가기**: 친구들과 5학년 때 방방 타러 튼튼 방방을 간 적이 있는데, 정말 신나고 재미있었던 기억이 있다. 5학년 때에 비해서 친구 수도 많고, 6학년 친구들과 관계도 더 돈독한 것 같아서 훨씬 밝은 분위기, 마음으로 참여할 수 있을 것 같다.

▶**선생님 화장해 드리기**: 자~ 먼저, 파운데이션을 발라줍니다. 뜨지 않도록 잘 펴 발라줄게요. 이제 아이라이너를 그려주고 마스카라로 속눈썹을 올려줄게요, 아이 셰도우 바르는 것도 잊지 마세요! 엘사처럼 보라색으로! 앗! 셰딩을 빼먹었네요! 얼굴을 갸름하게 만들어줄게요. 귀여운 볼터치도 톡! 톡! 마지막으로 립스틱을 발라주면... 완성! 와! 너무 예뻐요!

▶**타임캡슐**: 타임캡슐에는 '나'에 대한 내용을 주제로 쓰고 싶다. 타임캡슐의 재미는 꺼내 보았을 때, 옛날의 나를 마주할 수 있다는 점이다. 그러므로 지금 나의 가치관이나 생각 등을 적으면 좋겠다. 난 가끔 내가 쓴 글이나 그림을 보면 오글거리기도 하고, 후회되기도 한다. 하지만 정말 재미있다. 내가 나를 훔쳐보는 느낌이랄까?

<김나영>

▶**롯데월드 가기**: 음 솔직히 말하면 갈 확률은 0.0001%일 것 같다. 그래도 정말 만약에 간다고 하면 너무 좋을 것 같구. 가는 계절은 가을~겨울쯤이 좋을 것 같다. 내가 무서운 걸 그리 잘 타는 편은 아니지만 열심히(?) 타볼 것 같다.

▶**고기 구워 먹기**: 이것도 솔직히 안 될 것 같은데 간다고 하면 뚱삼이 대삼이가 좋을 것 같다. 냉면, 김치찌개, 된장찌개 잔뜩 시켜서 야무지게 먹을 자신 있다. 난 고기를 구워본 적이 없는데 내가 직접 구워서 애들한테 주고 싶다.

▶**방방 가기**: 이건 한번 해보고 싶다. 키방에 가면 될 것 같은데 키방은 되게 크고 공도 있어서 피구도 할 수 있다. 좀 다칠 수도 있지만 괜찮다!

▶**선생님 화장해 드리기**: 일단 고데기로 선생님의 곱슬을 없애고 머리를 펴서 쌘 언니처럼 아무도 못 건드리게 엄청난 메이크업을 해서 현대 미술로 선생님 얼굴을 꾸며드릴 것이다. 내가 소문난 금손이여서ㅎ.

▶**타임캡슐**: 만약에 내가 적은 그 타임캡슐을 성인이 되어 본다면

기분이 묘할 것 같다. 적는다면 나는 딱 한 가지만 물어볼 것이다. "밥은 잘 챙겨 먹고 다님?" 이렇게 물어볼 것 같다ㅋㅋ.

<김민지>

▶**롯데월드 가기**: 가면 너무 너무 너무 너무 너무 좋을 거 같고 츄러스도 먹고 싶고 바이킹도 타고 친구들과 추억을 만들고 싶기 때문입니다. 그리고 무서운 놀이기구 타면서 선생님 얼굴이 어떻게 될지 궁금하기 때문입니다.

▶**고기 구워 먹기**: 고기는 당연히 다복이죠ㅋ. 왜냐하면 다복이 아니면 절대로 안 먹기 때문입니다. 그리고 저는 당연, 살만 먹습니다. 왜냐하면 비계는 진짜 느끼하고 맛없고 기름이 너무 많기 때문입니다.

▶**방방 가기**: 일단 당연히 튼튼 방방이죠. 어제도 갔다 왔고 사장님이랑 친해서 슬러시도 서비스로 받고 재미있고 노래방도 있고 편백나무도 있고 스펀지도 있기 때문입니다.

▶**선생님 화장해 드리기**: 저도 처음에는 그 화장이 아니라 그 화장인 줄 알았습니다ㅋㅋ. 죄송합니다ㅋㅋ. 선생님을 화장해 드리면 일단 선생님이 화려해지고 멋져지고 더 잘 생겨지기 때문입니다.

▶**타임캡슐**: 일단 꼭 해보고 싶고 안녕 자두야에서 하는 걸 보고 해보고 싶어져서입니다. 어릴 때를 떠올리며 선생님도 기억할 수 있기 때문입니다. 우리 학교 운동장에 묻고 싶어요ㅋㅋ.

<김지후>

▶**롯데월드 가기**: 우리 반이 롯데월드에 간다면 회전목마만 탈 것이다. 츄러스도 먹고, 사진도 찍을 것이다.

▶**고기 구워 먹기**: 고기를 구워 먹는다면 선생님에게 마늘이 많이 들어간 쌈을 드릴 것이다. 또 삼겹살을 야무지게 구워서 먹을 것이다.

▶**방방 가기**: 방방은 언제나 재미있다. 만약 방방에 간다면 키크는 방방에 갈 것이다. 덤블링도 하고 재미있게 놀 것이다.

▶**선생님 화장해 드리기**: 선생님에게 화장해 드린다면 청순, 큐티, 일찐 등으로 화장해서 우리 반을 웃기게 할 것이다.

▶**타임캡슐**: 타임캡슐을 한다면 타임캡슐에 넣을 물건으로 나의 금메달과 어릴 적 사진을 넣을 것이다. 성인이 되어 타임캡슐을 열면 옛날 일들이 생각나면서 좋을 것 같다.

<김채윤>

▶**롯데월드 가기**: 롯데월드... 나는 처음 가는 곳이다. 에버랜드 좋은데... 먼저 버스를 빌리고 가는 길에 간식도 먹고... 롯데월드 가면 롤러코스터를 타고 싶다. 그 곳에서 점심도 먹고 기념품도 사고 싶다. 올 때도 버스타고 간식 먹고 싶다.

▶**고기 구워 먹기**: 고기를 구워 먹는다면 뚱삼이 대삼이로 가고 싶다. 그리고 고기는 대패 삼겹살을 먹고 싶다. 나랑 친한 아이들과 한 테이블에 앉아 콩나물과 김치도 구워 먹고 싶다. 거기에 디

저트로 탕후루랑 빙수!!

▶**방방 가기**: 방방장에 가서 간식도 먹고 방방도 타고 싶다. 기왕이면 키 크는 방방... 라면과 슬러시까지 먹고 싶고 노래방에서 노래도 부를 것이다. 아침부터 오후까지 방방에서 선생님과 놀고 싶다.

▶**선생님 화장해 드리기**: 선생님 화장은 정말 자신 있다. 왜냐하면 엄마 화장할 때 옆에서 구경하기 때문이다. 그리고 턱을 많이 깎아 드려야 할 것 같고 틴트도 진하게 발라 드릴 것이다.

▶**타임캡슐**: 내가 만약 타임캡슐을 만든다면 그 안에 내 소원과 IVE 앨범, 포카를 넣을 것이고, 우리 학교 운동장에 넣을 것이다.

<류지원>

▶**롯데월드 가기**: 엄청 큰 놀이공원이기에 목소리 체크를 잘하고 들어갈 것이다. 계획은 무서운 것보단 재밌는 거 위주로 타고 간식으로 츄러스를 먹으며 퍼레이드를 보면 일정 끝! 재밌겠다!

▶**고기 구워 먹기**: 고깃집을 간다면 '명륜진사갈비집'에 가서 맛있게 먹을 것이다. 왜냐하면 먹었던 고깃집 중에서 제일 기억에 남기 때문이다.

▶**방방 가기**: 내가 추천하는 집은 '더 놀다'이다. 이유는 가봤기 때문이다. 신나게 놀려면 익숙해져야 해서 시간이 필요하겠지만 열심히 놀 순 있다.

▶**선생님 화장해 드리기**: 진짜 한다면 음,,, 어,,, 롹스타처럼 만들어 드려야 겠다ㅎㅎ. 머리를 올리고 검은색 옷을 입히면 될 것 같

다. 깎아 드려야 할 것 같고 틴트도 진하게 발라 드릴 것이다.

▶**타임캡슐**: 내가 선택한 이유는 추억을 남길 수 있기 때문이다. 쓰고 싶은 말은... '우리 반 오래 살자! 6학년 5반 홧팅' 꿈은 '아나운서'로 쓸 것이다. 아주 재밌을 것 같다.

<문라희>

▶**롯데월드 가기**: 롯데월드에 가서 애들이랑 츄러스 먹고, 사진 찍고, 놀이기구를 타면 시간이 순식간에 사라질 것 같다. 겨울 방학에 가서 잊지 못할 추억 꼭 만들어 보고 싶다.

▶**고기 구워 먹기**: 고기 굽기는 정말 쉬우니 기름 튀는 것만 좀 보장하면 고기 금방 구을 수 있는 것이고 누가 했든 아무나 된장찌개도 끓여서 맛있게 먹으면 진짜 행복할 것 같고 요즘 밀키트 같은 거 잘 나오니까 냉면도 '후루룹 짭짭' 맛있게 먹고 싶다.

▶**방방 가기**: 사실상 몇 시간 동안 방방만 타는 것은 금방 질릴 수도 있으니 적당히 타는 것도 좋을 것 같다. 방방 타면서 키도 키우고 스트레스도 풀 수 있으니 좋을 것 같다.

▶**선생님 화장해 드리기**: 첨엔 장난으로 말하는 줄 알았는데 장난이 아니라 진심이었다니까 선생님이 좀 불쌍해 보이기도 한다. 선생님이랑 만약 하게 된다면 웃겨서 이상하게는 못 할 것 같고 선생님이 뭔가 불쌍해졌다... (장난 맞음)

▶**타임캡슐**: 타임캡슐에 지금을 떠올릴 수 있을 만큼 추억의 물건을 넣고 싶다. 현금도 넣고 싶고 다이소 물건들을 넣어서 묻는 것 또한 재밌을 것 같다. 나중에 위에 건물만 안 생기면 좋겠다.

<박채은>

▶**롯데월드 가기**: 우리 반의 첫 번째 버킷리스트는 다 같이 롯데 월드 가기이다. 각자 차를 타고 가도 좋지만 되도록 6-5반 모두가 정원초등학교 앞에서 만나서 버스를 타고 가는 것도 좋을 것 같다. 롯데월드에 도착하면 머리띠부터 살 것 같다. 머리띠를 쓴 반 아이들의 모습은 재미있을 것 같다. 스릴 있는 놀이기구도 재밌을 것 같다.

▶**고기 구워 먹기**: 두 번째 버킷리스트는 고기 구워 먹기이다. 장소는 반에서 먹는 게 재미있을 것 같고 고기는 돼지갈비가 맛있을 것 같다ㅎ. 돼지갈비가 아니더라도 소갈비도 맛있겠다. 만약 돼지 갈비를 먹는다면 돼지 껍데기는 꼭 먹어야 한다.

▶**방방 가기**: 세 번째 버킷리스트는 방방장 가기이다. 방방장은 키 크는 방방이고 키방은 공이 있기 때문에 더 재미있을 것이다. 약 1시간 정도 뛰어보고 냉장고에서 꺼내고 사 먹는 제티와 코코팜은 꿀맛일 것이다.

▶**선생님 화장해 드리기**: 첨엔 장난으로 말하는 줄 알았는데 장난이 아니라 진심이었다니까 선생님이 좀 불쌍해 보이기도 한다. 선생님이랑 만약 하게 된다면 웃겨서 이상하게는 못할 것 같고 선생님이 뭔가 불쌍해졌다... (장난 맞음)

▶**타임캡슐**: 다섯 번째 버킷리스트는 타임캡슐이다. 타임캡슐 안에는 현재 나의 꿈, 지금 가장 갖고 싶은 것 등을 써 놓고 싶다. 장소는 학교 앞, 큰 나무 아래 그리고 이 타임캡슐은 20년 후에 열어볼 것이다.

<배수빈>

▶**롯데월드 가기**: 우리 반과 이루고 싶은 첫 번째 버킷리스트는 롯데월드 가기이다. 나는 롯데월드에 한 번도 가본 적이 없다. 그래서 친구들과 함께 간다면 정말 뜻깊은 하루를 보낼 수 있을 것 같다.

▶**고기 구워 먹기**: 두 번째는 고기 구워 먹기이다. 이 버킷리스트를 상상하면 웃음이 난다. 우리 25명이 쪼르르 앉아 있고 선생님이 열심히 고기를 구워주고 계시는 모습이라니... 그래도 도전해 보고 싶긴 하다.

▶**방방 가기**: 세 번째는 방방 가기이다. 친구들 생일로 방방을 가본 경험이 많다. 그래서 우리 27명이 함께 간다면 더욱 즐거울 것 같다. 방방에 가면 선생님이 뛰는 모습을 꼭 보고 싶다.

▶**선생님 화장해 드리기**: 네 번째는 선생님 화장해 드리기이다. 나는 화장을 해본 적이 없지만 내 얼굴이 아닌 다른 사람의 얼굴이면 도전할 수 있을 것 같다. 그래서 쌤이 안경을 벗으시는데 어떤 모습일지 궁금하다.

▶**타임캡슐**: 마지막으로 타임캡슐이다. 이걸 만들면 어른이 되어서라도 초등학교 6학년 때 추억을 생생하게 느낄 수 있을 것 같아서 가장 하고 싶다. 근데 어디에다가 묻어야 할까?

<이다해>

▶**롯데월드 가기**: 우리 반 친구들, 선생님과 롯데월드에 같이 가서 무서운 놀이기구도 많이 타고 맛있는 음식도 먹고 기념품도 사서 재미있게 놀고 싶어서 선택하게 되었습니다. 이 버킷리스트를 하려면 우리 모두 다 돈을 조금이라도 모아야 할 것 같습니다.

▶**고기 구워 먹기**: 일상에서는 하기 어려운 일이지만, 학교에서 기계를 가져와서 구워 먹거나 진짜 고깃집에 가서 구워 먹는 것도 나쁘지 않은 것 같습니다. 이 버킷리스트도 25명의 고기를 다 사려면 돈이 어마어마하게 필요할 것 같습니다.

▶**방방 가기**: 제가 친구랑 방방에 많이 놀러 갔었는데 노래도 나오고 뛰면서 노니 재미있어서 울 반이랑 가면 더더욱 재미있을 것 같아요. 쌤은 더욱이요. 거기에 과자, 주스, 라면 등 먹을 게 많이 있어서 놀다가 먹으면 맛있을 것 같습니다.

▶**선생님 화장해 드리기**: 선생님 화장시켜 드리기입니다. 솔직히 이 버킷리스트가 제일 재미있을 것 같은데 쌤 피부를 뽀얗게 만들고 립스틱도 발라주면 더욱 웃길 것 같습니다. 기대하세용^^.

▶**타임캡슐**: 만약 어딘가에 심어서 몇 년 뒤에 확인하는 거면 심는 곳은 학교 앞 화단에 심고 1년 뒤에 학교에 와서 우리 반 친구들, 선생님과 열어보고 싶습니다. 만약 그때 심었던 곳에 없으면 속상할 것 같습니다ㅜ.

<이루리>

▶**롯데월드 가기**: 나는 롯데월드를 예전부터 가보고 싶었지만 시간이 없어서 가보지 못했다. 나는 놀이기구 타는 것을 즐긴다. 그렇지만 놀이공원을 많이 가지 못한다. 우리 반과 놀이공원을 가면 참 재미있을 것 같다. 우리 반과 꼭 롯데월드가 아니더라도 우리 반과 함께 놀이공원을 가보고 싶다.

▶**고기 구워 먹기**: 고기를 나는 좋아하지 않는다... 하지만!! 우리 반과 함께 먹으면 맛있을 것 같다. 된다면 우리 학교 옥상에서 바비큐 파티를 열고 싶다ㅋㅋ. 솔직히 말하면 비현실적이지만 이게 진짜 실현된다면 기쁠 것 같다.

▶**방방 가기**: 방방을 우리 반과 간다면 정말 재밌을 것 같다. 방방을 타러 갈 때 버스를 타고 가면 좋을 것 같다. 요즘 방방을 간 지 오래 되어서 그런지 가보고 싶다.

▶**선생님 화장해 드리기**: 나는 지금 여기 있는 버킷리스트 중에 가장 웃기고 재미있을 것 같다. 우선 선생님 얼굴에 파운데이션을 아주 듬뿍 발라 드리고 쌍커풀 테이프를 붙여 드리고 뷰러로 속눈썹을 돋보이게 해 드릴 것이다. 또 틴트와 립스틱을 발라 드리고 안경을 빼고 렌즈를 끼워드릴 것이다ㅋ. 선생님! 아주 예쁘실 것 같네요~

▶**타임캡슐**: 나는 친구와 예전에 타임캡슐을 해보았다. 하지만 한 달쯤 지나니 사라져서 속상했다. 그래서 버킷리스트 중에 제일 실현시켜 보고 싶은 것 중 하나이다. 우리 반과 타임캡슐을 적는다면 10년 후에 나에게 하고 싶은 말을 적고 싶다. 음.. 나는 만약 적는

다면 너는 무슨 직업을 가지고 있고 꿈이 이루어졌는지, 행복하게 살고 있는지에 대하여 묻고 싶다. 타임캡슐을 꼭 실현시키고 싶다!

<채유민>

▶**롯데월드 가기**: 만약에 우리 반이 롯데월드에 간다면 너무 좋을 것 같다. 그리고 도착하면 제일 먼저 놀이기구를 탈 것 같다. 내 기억으로는 롯데월드에 한 번도 가지 않았던 것 같아서 무슨 놀이기구가 있을지 잘 모르지만, 바이킹은 아마도 있을 것 같다. 그래서 나는 바이킹을 제일 먼저 탈 것이다.

▶**고기 구워 먹기**: 만약에 고깃집에 간다면 제일 맛있는 고깃집에 가서 먹고 싶다. 그래서 제일 맛있는 부분, 제일 비싼 것을 먹고 싶다. 나의 소원이 꼭 이루어졌으면 좋겠다.

▶**방방 가기**: 만약 방방에 가면 나는 조금만 놀다가 힘들어 지칠 것 같다. 근데 딱히 방방에 가고 싶진 않다. 아주 아주 아주 만약에 가면 방방에서 놀지 않고 다른 곳에서 놀 것 같다.

▶**선생님 화장해 드리기**: 선생님에게 화장을 하면, 먼저 처음으로 완전 새하얀 백인을 만들고 립을 피처럼 새빨갛게 하고 코를 깎을 것이다. 그리고 마지막으로 하지 않은 것들을 다 하면 완성이다.

▶**타임캡슐**: 내가 타임캡슐을 적으면 미래의 나에게 잘살고 있냐, 뭐하고 지내냐 등을 편지 형식으로 써서 물어볼 것이다. 그리고 묻을 장소는 우리 집 책상이나 우리 학교 운동장 아니면 다른 학교 운동장에 묻어보고 싶다.

<김민석>

▶**롯데월드 가기**: 반 모두가 일정이 없는 날 토요일이나 일요일일 때 오전 8시의 학교 앞에서 만나서 버스를 타고 돈은 선생님이 교육청 예산을 조금 빌리고 간식은 개인적으로 돈을 들고 와서 샀으면 좋겠다.

▶**고기 구워 먹기**: 고기를 먹으러 가면 다복으로 예약하고 돈은 교육청의 예산을 빌리고 더 먹고 싶으면 선생님 예산을 빌려서 사고 다 먹으면 그냥 집에 가서 먹고 싶다.

▶**방방 가기**: 토요일이나 일요일 중에 선생님께서 시간이 나실 때 가고 튼튼 방방에 가고 싶다. 간식은 선생님이 그냥 한 턱 쏘는 걸로 하고 안 된다고 하시면 그냥 돈을 뺏는 걸로. 그리고 사람이 많으면 코인 노래방 쏘기, 선생님도 노래 불러주시기

▶**선생님 화장해 드리기**: 평일에 하고 아이 셰도우, 파운데이션, 립스틱, 틴트, 고데기, 가발로 일찐 메이크업하고 인증샷 찍고 화장 지워드리고 인스타에 올려서 좋아요 엄청 받기.

▶**타임캡슐**: 시간 날 때 하고 종이에 나의 꿈 이루고 싶은 것, 있었던 일을 적고 밀폐 용기에 담고 통에 넣어서 뒷산에 묻고 발견되면 곤란하니까 쪽지를 적어두고 10년 후에 다시 보기

<김민준>

▶**롯데월드 가기**: 롯데월드에 가서 재미있는 놀이기구도 타고 롯데월드 안에서 먹을 수 있는 핫도그, 츄러스 등을 먹으며 놀고 오

는 것이다.

▶**고기 구워 먹기**: 우리 반이 다 함께 무한리필 고깃집 명륜진사갈비를 가서 삼겹살, 돼지갈비, 이베리코 꽃목살을 야무지게 밥이랑 냉면까지 먹는 것이다.

▶**방방 가기**: 우리 반이 다 함께 키 크는 방방이나 튼튼 방방을 가. 땀을 흘리며 재미있게 공을 던지고 놀면 재미있을 것 같다.

▶**선생님 화장해 드리기**: 선생님이 여친이 생길 수 있게 화장은 이쁘게 시키고 소개팅을 해서 선생님의 여친이 생기게 해주는 것이다.

▶**타임캡슐**: 타임캡슐에다가 꿈이랑 먹고 싶은 것을 적어 넣어 내가 성인이 되었을 때 꺼내어 추억에 빠진다.

<김정주>

▶**롯데월드 가기**: 돈 모아서 관광버스를 빌리고 티켓을 사고 조를 만들고 순서를 정해서 기구를 타고 들고 온 돈으로 기념품이나 먹을 것도 사고 기념사진도 찍는다.

▶**고기 구워 먹기**: 고기를 사 들고 가 가게에서 먹으면 민폐일 것 같으니 선생님 집에서 먹은 후 우리가 다 치우고 후식으로 베라 먹기

▶**방방 가기**: 각자 돈 들고 와서 돈 내고 뛰다가 피구도 하고 축구도 하면서 힘들면 간식 사서 먹으면서 쉬다가 가기

▶**선생님 화장해 드리기**: 여자애들 화장품으로 선생님 화장해 드리기

▶**타임캡슐**: 각자 가장 추억이 깊은 물건을 상자에 넣기

<김태우>

▶**롯데월드 가기**: 롯데월드에 버스를 타고 우리 반 다 같이 가서 놀이기구를 타며 놀고 퍼레이드까지 보고 오기.

▶**고기 구워 먹기**: 양산에 규카츠를 먹으러 간다, 우리 집 앞 대패 삼겹살을 먹으러 간다.

▶**방방 가기**: 버스를 타고~ 철마에 가고~ 소고기를 먹고~ 방방을 타며 놀고~ 버스 타고 집에 오기

▶**선생님 화장해 드리기**: 우리 반 여자애들에게 부탁하여 선생님을 예쁘게 화장해 드리기.

▶**타임캡슐**: 항아리에 기억하고 싶은 물건을 많이 넣고 우리 학교 운동장에 10년 동안 매장해두기.

<남민성>

▶**롯데월드 가기**: 일단 가려면 토요일 날 아침 9시에 만나서 버스를 탔다가 지하철로 갈아타고 집 갈 때도 지하철 타고 버스를 타고 가고 롯데월드에 도착하면 무서운 놀이기구를 많이 타고 범퍼카도 타고 밥도 먹고 해서 저녁 7시에 집에 갈 것이다.

▶**고기 구워 먹기**: 토요일 날 10시에 만나 12시까지 놀이터에서 뛰어 놀다가 배고플 때 뚱삼이와 대삼이를 가서 고기를 구워먹을 것이다.

▶**방방 가기:** 토요일 10시 30분에 만나 8번 버스를 타서 skt 휴대폰을 파는 곳 반대편에서 내려서 걸어서 키 크는 방방을 가서 거기서 라면도 먹고 한 1~2시간 정도 탈 것이다.

▶**선생님 화장해 드리기:** 토요일 12시에 만나 우리 반으로 모여서 화장하는 것을 챙겨 선생님을 만나 유튜브를 보면서 예쁘게 화장을 시켜드릴 것이다.

▶**타임캡슐:** 나는 토요일 10시 30분쯤에 선생님과 애들을 만나 종이와 연필을 챙겨 산 같은 곳에 앉아서 나는 타임캡슐 내용에 자전거를 사는 내용을 적을 것이고 더 적으면 흙을 파서 상자에 적은 걸 열어 10년 뒤에 다시 만난 뒤 열어볼 것이다.

<박성준>

▶**롯데월드 가기:** 만약 실제로 간다면 나는 못 타본 놀이기구를 타볼 것이다. 왜냐하면 저번에 갔을 때는 놀이기구를 조금밖에 못 타봤기 때문이다.

▶**고기 구워 먹기:** 우리 반에서는 조금 힘든 일이긴 하지만 만약 간다면 고깃집을 '더하다'로 가고 싶다. 왜냐하면 소스가 엄청 많고 막국수가 맛있기 때문이다.

▶**방방 가기:** 만약 실제로 간다면 나는 조금 놀다가 쉴 것이다. 왜냐하면 너무 오래 뛰면 힘들기 때문이다.

▶**선생님 화장해 드리기:** 힘든 일이지만 만약 한다면 토끼처럼 화장해드리고 싶다.

▶**타임캡슐:** 학기 초에 타임캡슐을 쓰긴 했지만 실제로 땅에 타임

캡슐을 묻어두고 20년 후에 열어보고 싶다. 나는 타임캡슐에 우리 반끼리 영화 보러 간일을 쓸 것이다.

<배성제>

▶**롯데월드 가기**: 버킷리스트로 롯데월드가 나왔다. 롯데월드를 가려면 버스를 한 대 빌려서 가는 게 좋을 것 같고 롯데월드에 가서는 각자 팀을 통해서 신나게 놀면 될 것 같다.

▶**고기 구워 먹기**: 버킷리스트로 고기 구워 먹기가 나와서 장소는 우리 동네 안에 있는 새로 생긴 도담 갈비나 명륜 진사 갈비를 가서 맛있게 먹으면 될 것 같다.

▶**방방 가기**: 방방도 마찬가지. 우리 동네에 있는 튼튼 방방이나 키 크는 방방을 버스나 걸어서 가면 될 거 같다.

▶**선생님 화장해 드리기**: 선생님 화장은 여자아이들이 들고 와서 내가 선생님을 꾸밀 수 있다면 인어 공주, 백설 공주, 라푼젤 저리 가라 급으로 만들 수 있다.

▶**타임캡슐**: 대망의 타임캡슐은 우리가 딱 10년 뒤에 학교 뒤 화단에 우리 물건 하나씩 묻어서 하면 너무 좋을 것 같다.

<이규하>

▶**롯데월드 가기**: 롯데월드를 가기 위해 버스를 빌리고 롯데월드에 간다. 롯데월드는 안전을 위해 모둠을 만들어 모둠끼리 행동해야 할 것 같다. 롯데월드에 가면 놀이기구도 많이 타고 맛있는 것

도 많이 먹을 거다.

▶**고기 구워 먹기**: 우리 반에서 고기를 먹게 된다면 정관에 새로 생긴 도담 갈비에 가서 맛있는 고기를 많이 먹을 거다. 근데 나는 돼지보다 소를 더 좋아하는데 정관에는 소고기 집이 많이 없어서 아쉽다.

▶**방방 가기**: 정관에 있는 방방에 가서 방방에서 누워있기만 할거다. 방방에서 누워서 폰 보면서 행복하게 놀거다. 그게 힘 안 들고 제일 편하기 때문이다.

▶**선생님 화장해 드리기**: 나는 화장을 잘 몰라서 화장을 안 할 거다. 하지만 립스틱 바르는 정도는 할 수 있다. 반 애들이 샘을 어떻게 화장시킬지 궁금하다.

▶**타임캡슐**: 타임캡슐을 묻을 장소는 학교 뒤 화단에 묻고 우리가 6학년 동안 했던 물건들을 담아 딱 10년 뒤에 샘과 애들한테 연락할 것이다. 연락받은 애들과 함께 학교로 와서 타임캡슐을 다시 볼 것이다.

<**이도윤**>

▶**롯데월드 가기**: 예산이 너무 많이 필요함. 각자 돈을 들고 가면 가능할지도?

▶**고기 구워 먹기**: 어디에서 먹을 건가? 각자 먹은 것만 계산하면 가능할지도?

▶**방방 가기**: 방방을 통으로 다 빌리면 가능할지도? 예산은 나눠서 쓰면 가능할지도?

▶선생님 화장해 드리기: 화장품은 너무 비싼 것(?) 같아서 안 될 것 같다.

▶타임캡슐: 학교 땅에 묻으면 되는데 학교가 철거되고 부서지고 개인 소유지가 된다면? 못 찾는다.

<이동건>

▶롯데월드 가기: 롯데월드에 가서 놀이기구랑 먹을 것도 먹으면서 친구들과 놀기

▶고기 구워 먹기: 토요일이나 주말에 모여서 고깃집을 가서 소고기를 먹는다.

▶방방 가기: 친구들과 방방장에 가서 배구나 왕용용 등 방방장에서 할 수 있는 놀이하기

▶선생님 화장해 드리기: 여자 애들 화장품이나 화장품을 사서 창체 시간이나 놀이 시간에 해드리기

▶타임캡슐: 미래의 꿈을 모아서 땅에 묻었다가 10년 뒤 꺼내기

<이혁진>

▶롯데월드 가기: 롯데월드 가기는 버스를 빌려서 롯데월드를 간다. 가서는 각자 하고 싶은 것을 하고 시간에 따라 모인다.

▶고기 구워 먹기: 고기를 학교에서 구워 먹을 순 없으니 가까운 고깃집에 가서 고기를 구워서 먹는다. 원하는 부위를 골라서

▶방방 가기: 방방도 근처 방방을 간다. 방방에서 원하는 것을 하

고 질서에 따라서 안전하게 방방을 이용한다.

►**선생님 화장해 드리기**: 선생님 화장해 드리기는 하고 싶은 아이들끼리 선생님을 원하는 얼굴로 화장을 한다. 예를 들면 가오나시이다.

►**타임캡슐**: 종이에 자신이 지금 무엇을 하는지, 미래에 꿈이 무엇인지 적고 10년, 20년 후에 자신의 것을 찾아 과거의 나를 돌아보고 잘 컸는지 확인한다.

<정준혁>

►**롯데월드 가기**: 롯데월드를 가면 일단 츄러스를 먹고 뿌링 콜팝먹고 놀이기구를 탈 것이다. 그리고 놀다가 집에 간다.

►**고기 구워 먹기**: 뚱삼이 대삼이에 가서 고기를 먹고 냉면까지먹을 것이다.

►**방방 가기**: 방방 가서 덤블링도 하고 놀고 라면 한 개를 사먹고놀 것이다.

►**선생님 화장해 드리기**: 선생님을 화장해 드린다면 가오나시 분장을 해드릴 것이다.

►**타임캡슐**: 타임캡슐을 하면 내 연필, 공책이랑 미래의 나에게쓴 편지를 넣을 것이다.

<지인환>

►**롯데월드 가기**: 롯데월드에서 놀이기구를 타고 나만의 시간을

보낼 것이다.

▶**고기 구워 먹기:** 무선 마이크를 들고 와서 친구들 앞에서 노래를 부르고 스테이크를 썰어 먹을 것이다.

▶**방방 가기:** 방방에 가서 공으로 친구들과 피구를 하며 장난을 칠 것이다. 선생님도 맞힐 것이다.

▶**선생님 화장해 드리기:** 친구들에게 화장을 배워 선생님을 아주 예쁘게 화장해 드릴 것이다.

▶**타임캡슐:** 타임캡슐에 닌텐도를 넣을 것이다. 10년 뒤에 군대를 다녀와서 친구들과 타임캡슐을 꺼내고 술을 마시러 갈 것이다. 그리고 학교에서 잠을 자보고 싶다. 조병규도 만나고 싶다.

7

내가 초능력자가 된다면?

인간 카메라

나는 무엇이든 한번 보면 카메라처럼 머릿속에 저장되는 능력을 가지고 싶다. '이상한 변호사 우영우'라는 드라마에서 주인공 우영우는 무엇이든 한 번만 보면 캡처를 한 듯 머리에 저장되고 그 기억을 떠올리는 방식도 특이하다. 난 우영우처럼 단기간에 암기를 해서 영어시험, 수학시험 과학시험 모두 다 백 점을 맞을 것이다. 또한 내가 좋아하는 가수 노래 가사를 1초 만에 다 외우고 중요한 정보를 다 기억할 것이다. 근데 조금 걱정이 된다. 머리가 터지진 않겠지? **권채원**

허경영 공중 부양

나는 공중 부양을 할 것이다. 그래서 하늘을 날고 세계여행을 하고 다닐 것이다. 그리고 공중 부양으로 돈을 왕창 벌어서 강남에 아파트를 살 것이다. 그리고 동물들과 대화할 수 있는 능력이 생기면 좋겠다. 그래서 하하호호 동물들과 대화하며 시간을 보낼 것 같다. 마지막으로 아바타 영화를 봤는데 공부도 안 하고 너무 즐거워 보였다. 그리고 진짜 마지막으로 물속에서 숨 쉴 수 있는 능력이 생기면 좋겠다. 그래서 제2의 인어 공주가 되어 볼 것이다. 진짜 진짜 마지막으로 헤어 스타일을 마음대로 바꿀 수 있는 능력이 생기면 좋겠다. 그래서 머리가 짧든 길든 내가 좋아하는 똥머리를 와장창 할 것이다. **김나영**

초능력자가 된다면?

　　　　　　　　첫째, 동물과 대화하고 싶습니다. 왜냐하면 동물을 만져주면서 간식 주기 등을 할 때 동물의 심리 상태나 현재 감정을 이해하고 싶기 때문입니다. 둘째, 순간이동을 하고 싶습니다. 왜냐하면 학원이 너무 멀고 덥거나 추울 때 바로 어디론가 갈 수 있기 때문입니다. 셋째 물에서 숨을 쉴 수 있으면 좋겠습니다. 왜냐하면 물에서 노는 건 좋은데 잠수나 수영을 하려고 하면 숨을 5초밖에 못 참기 때문입니다. **김민지**

만약 초능력이 생긴다면..

　　　　　　　　내가 가지고 싶은 초능력은 목소리 변조이다. 왜냐하면 목소리를 변조해서 보이스피싱을 할 것이다. 보이스피싱을 해서 돈을 뜯을 것이다. 두 번째로 가지고 싶은 초능력은 투명인간이다. 왜냐하면 보이스피싱을 하다가 잡히면 투명 인간으로 변해 도망칠 것이다. 도망친 다음 외국으로 도망갈 것이다. 외국으로 도망가서 외국에서도 보이스피싱을 할 것이다. **김지후**

사라져라 뿡뿡!!

　　　　　　　　나는 가끔 투명 인간이 되고 싶다. 왜냐하면 투명 인간이 된다면 첫 번째 몰래 엘리베이터를 탈 수 있기 때문이다. 항상 학교에 오면 아쉬운 게 힘들어도 계단으로 올라가서 짜증이 났는데 투명 인간이 된다면 그냥 타도 되기 때문이다. 두 번째, 몰래 물건을 가지고 갈 수 있기 때문이다. 지우개가 없다면 투명 인간이 되어서 갈 수 있기 때문이다. 세 번째 몰래 비행기를 탈 수 있기 때문이다. 돈이 없는데 여행이 가고 싶다면 몰래 비행기를 타서 해외에 갈 것이다. 김채윤

내가 원하는 것

첫 번째로 내가 원하는 초능력은 내가 생각하는 대로 나오는 것이다. 만약에 배는 고픈데 먹을 것이 없다면 먹고 싶은 것을 생각하고 손을 뻗으면?! 먹고 싶은 게 나오는 능력이다. (음식에만 사용이 가능하다) 두 번째는 순간이동이다. 여름에는 더워서 겨울에는 추워서 집에 빨리 가고 싶다면 순간이동을 해서 집으로 가는 능력이다. (장소이동에만 사용 가능) 세 번째는 시간을 멈추는 능력이 있었으면 좋겠다. 왜냐하면 내가 공부하거나 숙제할 때 시간이 부족하면 시간을 멈추고 마저 해서 완성할 수 있기 때문이다. 네 번째는 다른 사람의 마음을 읽는 능력이 있으면 좋겠다. 왜냐하면 내 친구가 원하는 말과 행동을 해줄 수 있을 것 같기 때문이다. 류지원

많은 초능력

난 시간을 멈추어서 8시 20분에 일어나서 시간을 멈추고 천천히 준비해서 여유롭게 학교에 와서 시험 칠 때도 다른 애들보다 30분 더 공부해서 시험 치면 매일매일 100점도 맞을 것 같아서 행복하다. 또 갖고 싶은 초능력은 원하는 것이 있으면 바로 만들어 낼 수 있는 능력이다. 비싼 시그니엘 아파트에도 살 수 있

고 배고플 땐 음식도 만들어서 맛있게 먹고 싶다. 또 갖고 싶은 초능력은 공중 부양이다. 공중 부양을 해서 유튜브에서 유명해지고 싶다. 또 갖고 싶은 초능력은 팔다리가 늘어나는 초능력이다. 자기 전에 불을 끌 때 귀찮지 않게 팔을 늘려서 전등을 끌 것이고 키를 잴 때는 다리를 늘려서 키가 크게 나오게 했으면 좋겠다. **문라희**

나는야 초능력자!

첫 번째로 갖고 싶은 초능력은 바로 순간이동이다. 순간이동을 한다면 먼저 세계 곳곳을 돌아다닐 것이다. 세계여행을 한 다음에는 지구 이외의 여러 행성들을 여행할 것이다. 여러 행성에서는 오래 있으면 죽을 것 같으니 딱 1초만 뿅하고 갔다 올 것이다. 그리고 나는 이것을 사람들에게 설명할 때는 행성 여행이라 칭하며 행성 여행에 관한 책도 쓸 것이다. 물론 사람들은 안 믿겠지만 그래도 내가 행성 여행을 한 건 사실일 것이니 믿지 않아도 된다. 두 번째로 갖고 싶은 초능력은 시간 멈추기이다. 만약 시간을 멈출 수만 있다면 나는 멈춘 시간 동안 아이돌 콘서트장에 몰래 들어가서 사람들 사이에 끼여서 들어갈 것이다. 그리고 미래에 수능을 볼 때 시간을 멈춰서 다른 사람보다 더 정확하게 풀고 시간을 되돌려서 충분한 시간으로 문제를 풀고 당당하게 100점을 맞을 것이다. 세 번째 초능력은 바로바로 미래를 볼 수 있는 능력이다. 미래를 볼 수 있다면 시험 답을 미리 보고 또 100점을 맞는 것이다. 그리고 복권 당첨 번호를 미리 보고 복권에 당첨되어 부자가 될 것이다. 지금까지 나의 휘황찬란한 망상이었다. **박채은**

능력

　　내가 만약 초능력 하나를 가질 수 있다면 나는 내가 말하는 대로 모든 것이 이루어지는 초능력이 생기면 좋겠다. 그런 초능력이 생긴다면 내가 보고 싶은 것을 다 보고 가지고 싶은 것을 다 가지고 내가 먹고 싶은 음식은 다 먹을 수 있다. 그리고 내가 정지!라고 외치면 시간이 멈추고 시간이 빠르게 흘러가는 그런 능력도 생기면 좋겠다. 이 능력이 생긴다면 르세라핌 콘서트 티켓과 르세라핌을 보는 기회가 생길 것이다. 그리고 먹고 싶었던 음식도 다 먹고 내가 원하는 거 다하고 친구들과 놀 수 있는 시간이 더 늘어날 것이다. 이 능력이 생긴다면 나는 매우 행복할 것 같다.

배수빈

편리한 하루

　　내가 초능력을 가진다면 순간이동을 할 수 있는 초능력을 갖고 싶다. 순간이동 초능력을 가지면 학교 가는 날 늦잠을 자도 순간이동으로 바로 학교에 가고 움직이기 귀찮을 때 초능력을 써서 가고 싶은 곳을 마음대로 비행기에 돈 안 내고 순간이동으로 갈 것이다. 재미있게 놀다가 다시 순간이동으로 집에 가서 쉬다가 밥을 간단하게 햄버거 집으로 순간 이동해서 햄버거를 배부르게 먹은 뒤 디저트로 터키에 가서 터키 아이스크림을 먹을 것이다. 또 에버랜드에 가서 제일 무서운 놀이기구를 탈 것이다. 마지막으로 집으로 순간이동을 해서 잘 것이다. **이다해**

초능력자 이루리

　　　　　　　　나는 초능력이 생긴다면 마음을 읽을 수 있는 능력을 가지고 싶다. 왜냐하면 만약 그런 초능력이 생긴다면 다른 사람의 마음을 알 수 있어 다른 사람이 원하는 것을 바로 알아챌 수 있고 또 그 사람이 원하는 방향으로 대해 줄 수 있다. 또 그 사람이 나쁜 거짓말을 칠 때 바로 알 수 있다. 이런 좋은 점들도 있지만 물론 단점도 있을 것이다. 단점을 설명하자면 사람들 간에 오해가 생길 수 있고 또 상대방의 속마음을 알게 돼 상대방에 대한 안 좋은 감정이 생길 수 있어 생기는 이런 단점들이 있다. 나는 이런 능력이 생긴다면 마음을 모르겠는 친구의 마음을 알아낼 것이다. 또 우리 반 선생님의 마음을 꼭 알아내 보고 싶다. 큭큭 선생님! 조심하세요~ 만약 내가 이런 능력이 생긴다면 얼마나 좋을까? **이루리**

편리한 능력

　　　　　　　　내가 만약 초능력을 가지게 된다면 순간이동을 하고 싶다. 평일에 늦잠을 자고 빨리 준비하고 학교로 순간 이동한다. 그리고 밥을 먹을 땐 간단하게 일본 원조 스시 집에 가서 스시를 왕창 먹을 것이다. 그리고 두 번째로는 시간 되돌리기 초능력을 가지고 싶다. 만약 시간 되돌리기 초능력을 가지게 된다면 나는 로또 번호를 알아서 1등으로 여러 번 당첨될 것이다. 그리고 성공한 삶을 살고 죽을 때까지 내가 하고 싶은 것을 하면서 살 것이다. **채유민**

내가 초능력자가 된다면!!

나는 시간 조작 마법을 사용하고 싶다. 시간을 멈추거나 시간을 되돌리고 시간을 돌리며 이뤄내지 못한 나의 꿈, 나의 운명을 뒤바꾸고 싶다. 만약 내가 학원에 늦으면 시간을 멈춰 순식간에 가고, 누군가 날 공격해 오면 시간을 멈춰 혼란스럽게 하고 싶다. 그리고 그 능력을 사용해 이로운 일도 하며 행복하게 하고 싶다. 김민석

시간 되돌리기 능력

나는 시간 되돌리기 능력을 가지고 싶다. 왜냐하면 시험을 칠 때 답을 베끼고 과거로 돌아가 100점을 맞고 수능도 100점을 맞아 하버드에 들어가고 싶기 때문이다. 그리고 로또 번호를 외운 뒤 시간을 돌려 인생 역전을 하고 억만장자로 살며 내 사이 13살에 최고로 부자가 되는 것이다. 그리고 축구를 하다가 다리가 부러지면 시간을 되돌려 다리를 부러뜨린 애의 다리를 먼저 부러뜨리는 것이다. 그러면 다칠 일도 없고 좋다. 그리고 폰이 깨지기 전에 시간을 되돌려 안 깨지게 하는 것이다. 김민준

창조

제가 원하는 초능력은 창조입니다. 이유는 창조로 원하는 물건을 만들면서 갖고 싶은 물건을 만들면서 살고 싶기 때문입니다. 연필을 잃어버리면 연필을 만들고 지우개를 잃어버리면 지우개를

만들어 쓰는 것처럼 편하게 살고 싶습니다. 창조로 집안 가구도 만들고 건물도 만들어서 건물주로 살고 싶고 캠핑할 때 너무 늦어 집에 가지 못한다면 창조로 집을 만들면서 살 것이다. 김정주

그냥 신

내가 원하는 능력은 염력을 쓸 수 있고 빛, 어둠, 불, 물, 땅, 중력, 얼음, 자연 원소를 다룰 수 있고 상대방의 정신을 조종하거나 읽을 수 있고 이 세계로 갈 수 있으며 초전도 속도로 날 수 있고 시간을 마음대로 다룰 수 있고 차원을 마음대로 다룰 수 있으며 세계를 만듦과 동시에 삭제할 수 있는 능력을 가지고 싶다. 김태우

인생역전

시간을 멈추는 초능력을 가지면 먼저 자전거 샵에 가서 자전거를 훔치고 경찰서에 가서 경찰차를 훔치고 경찰차를 타고 은행에 가서 돈을 100억 정도 훔치고 오토바이도 훔쳐서 역주행을 하고 싶다. 그리고 내가 오토바이를 타고 해운대를 가서 슈퍼카를 훔치고 타고 부수고 팔고 해서 부자가 될 것이다. 그리고 인생 역전을 할 것이다. 남민성

등교 시간 1초

내가 초능력자가 된다면 순간 이동하는 초능력을 얻고 싶다. 왜냐하면 미용실이나 학원을 갔을 때 집에 돌아오기 정

말 귀찮기 때문이다. 그리고 등교 시간이 짧아져서 학교를 늦게 출발해도 된다. 그렇게 되면 자동차나 대중교통을 탈 필요가 없고 돈이나 시간을 아낄 수 있기 때문이다. 그리고 그 남는 시간 동안 나만의 시간이나 생산적인 일을 하고 싶다. 그리고 가지고 싶은 초능력이 하나 더 있는데 바로 정전기에 면역이 되는 능력이다. 가끔씩 따끔따끔한 게 너무 짜증난다. 이 초능력이 생기면 정말 좋을 것 같다. **박성준**

나의 퍼펙트한 사이코키네시스 순간이동

초능력을 가진 일상은 정말 재밌고 완벽할 것 같다. 내가 가장 갖고 싶은 초능력은 사이코키네시스와 순간이동이다. 사이코키네시스는 내가 마음에 들지 않는 아이들을 혼낼 수 있고 밥을 마음대로 가져올 수 있고 무엇보다 규하 집을 훔칠 수 있고 규하 컴퓨터를 뺏고 규하 수영장, 땅도 다 뺏을 수 있다. 그리고 어른이 되면 술도 훔칠 수 있기 때문이다. 그래야 규하랑 뜨거운 밤을 보내며 한잔을 할 수 있다. 그리고 그다음으로 가지고 싶은 초능력은 순간이동 능력이다. 그 이유는 간단하다. 아침에 뒤에 서기 싫기 때문이다. **배성제**

초능력이 있는 나

내가 초능력자가 됐을 때 가지고 싶은 초능력은 시간을 조종하는 초능력과 순간이동, 최면이다. 시간 조종은 시간을 조종해 과거에 로또를 사서 돈을 많이 가질 수 있기 때문이다. 순간 이동은 어디든 갈 수 있기 때문이다. 마지막으로 최면은 다른 사람에게 최면을 걸어 내가 원하는 모든 일을 돈 없이 할 수 있기 때문이다.   이규하

초능력자가 된다면 어떤 초능력을 가지고 싶은가?

저는 어떤 초능력을 가지고 싶냐면 처벌 안 받는 초능력입니다. 길에서 모르는 사람을 때려도 처벌을 안 받는 초능력입니다. 두 번째는 맞아도 안 아픈 초능력입니다. 나쁜 사람이 때려도 안 아파서 사람을 더 때릴 수 있습니다.   이도윤

내가 초능력을 쓸 수 있다면?

나는 손가락 흔들기를 쓰고 싶다. 그 이유는 내가 원하는 것으로 변신할 수 있기 때문이다. 일단 대통령으로 변신해서 나한테 10억을 주고 보트로 변신해서 타고 다닐 것이고 죽기 전에는 환생하는 동물로 변신해서 영원히 살 것이다. 내가 손가락 흔들기를 쓰게 된다면 모든 돈으로 변신하고 그다음 일론 머스크로 변신해서 테슬라를 500대 훔치고 롯데타워를 훔쳐서 내가 쓸 것이고 북한을 사서 내 땅으로 만들 것이다. 이동건

시간을 다루는 초능력

시간을 다룰 수 있는 능력이 생긴다면 나

는 잠을 더 잘 것이다. 왜냐하면 나는 항상 밤 늦게 자서 피곤한데 아침 일찍 일어나야 하기 때문이다. 그리고 미래에 가서 로또를 사서 인생 역전을 하고 싶다. 그래서 그 돈으로 가족들과 놀러 다니고 싶다. **이혁진**

타임스탑

타임스탑 능력이 생기면 친구들을 놀릴 것이다. 그리고 일단 마트를 털고 자동차를 사고 오토바이를 훔쳐서 경찰차와 경주를 할 것이다. 그리고 밥을 먹고 살 것이다. 그리고 픽시 샵에 가서 픽시를 훔쳐서 탈 것이다. 그리고 성제한테서 규하를 훔칠 것이다. 그리고 규하와 남자들의 밤을 보낼 것이다. **정준혁**

경이로운 소문 2

염력으로는 멀리 있는 물건을 가져올 것이다. 친구들에게 장난도 칠 것이다. 아지트를 지어서 내가 입는 옷과 비슷한 옷을 만들어서 친구들에게 나누어 주고 악귀들을 잡으러 갈 것이다. **지인환**

8

영화 감상 수업

우리의 일주일

우리 반에서는 영화 감상 수업을 일주일간 진행했다. 사실 나는 디즈니 영화에 관해서는 잘 알지만 지브리 영화에는 큰 관심은 없었다. 그렇기에 지브리 영화들이 나에겐 새롭게 다가왔다. 파즈와 시타가 비행석에 관한 사건에 휘말리며 라퓨타를 찾는 모험적인 이야기인 '천공의 성 라퓨타'는 내가 모험과 여행을 보는 시각을 넓혀주었고 소스케와 포뇨가 나오는 '벼랑 위의 포뇨'는 보는 내내 입꼬리가 내려가지 않는 힐링 영화였다. 또, '모노노케 히메'는 잔인한 영화는 보지도 못하는 나였지만 많은 생각을 하게 만드는 깊은 영화다. 마지막으로 '하울의 움직이는 성'은 뛰어난 영상미와 비주얼에 빠질 수 있었던 아름다운 영화이다. 내가 생각한 지브리 영화의 장점은 사람마다 다른 해석을 할 수 있도록 만들어졌다는 점이다. 그렇기에 영화를 보는 사람마다 각기 다른 감정과 여운이 남는다. 나의 경우엔 원래부터 그림이나 애니메이션 효과 등에 관심이 많아서 영화를 보면서 색채나 인물들의 행동의 연출 등을 눈여겨보았다. 그리고 작가의 꿈도 품고 있어서 어떤 방식으로 영화에서 메시지를 전달했을지, 숨겨진 의미가 무엇일지 살폈다. 그렇기에 이런 생각들을 공유하는 시간이 소중했던 이유이기도 하다. 친구들의 생각과 관점을 듣는 것도 흥미로웠다. 그리고 이 긴 과정들은 모두 '이 영화'를 보기 위함이었다. '그대들은 어떻게 살 것인가'. 미야자키 하야오 감독을 중심으로 7년 동안 만든 영화라고 한다. 그만큼 깊고 재미있었다. 단순히 이야기 흐름이 좋다거나 캐릭터가 좋다기보단 많은 애니메이터들과 스태

프들이 노력한 흔적과 그에 따른 결과물이 마음에 들었다. 기억에 남은 장면들을 꼽자면, 돌로 머리를 내려치는 장면, 마히토가 새엄마를 엄마라 부르는 장면이었다. 두 장면 다 놀라서 기억에 남았다. 첫 번째 장면은 갑자기 돌로 머리를 내려쳐서 놀랐고, 두 번째 장면은 마히토가 한 번도 새엄마에게 '엄마'라 부르지 않는데 빨리 부르려는 마음에 툭 하고 나온 말 같아서 놀랐다. 이렇게 초반에는 전쟁과 관련된 이야기민 니올 줄 알았는데 놀랐던 포인트도 많았고 새로운 세계를 만난 것도 지브리다웠다. '그대들은 어떻게 살 것인가'가 재미있었던 또 다른 이유는 우리 반 친구들, 선생님과 함께 보았기 때문이다. 이때까지 영화관을 많이 이용했지만 가족이 아닌 친구들과 본 것은 이번이 첫 번째다. 그래서 그런지 더 기분 좋고 설레며 봤던 것 같다. 이번 일주일은 어른이 되어서도 오래오래 기억에 남을 것 같다. 내겐 너무 소중한 기억이다.
권채원

그대들은 왜 그렇게 사는가

　　　　　선생님이 영화 감상을 한다고 했을 때 진짜 쌤이 그렇게 잘생겨 보일 수 없었다. 솔직히 양심 고백하자면 라퓨타 볼 땐 잤고 하울의 움직이는 성이 가장 재밌었다. 매트가 있어서 누워서 볼 수 있어 좋았다. 근데 다 로맨스인 게 킹받았다! 원령공주를 보기 전에 쌤이 징그러우면 짜장면을 생각하라 해서 이해가 잘 안됐는데 영화를 보니 이해가 됐다. 근데 솔직히 무슨 내용인지 모르겠다. 그래도 원령공주가 너무 예뻤다. 그리고 포뇨는 너무 많이 봐서 별로 흥미가 없었다. 솔직히 토토로를 보면 좋았을 텐데 못 봐서 너무 아쉽다. 그리고 토요일 날에 영화를 본다고 했을 때 너무 기대됐다.♥ 친구들이랑 만나서 갔는데 팝콘도 사고 콜라도 사서 야무지게 먹으며 영화를 봤다. 솔직히 초반엔 재밌었는데 후엔 좀 재미없었다. 영화 끝나고 샘이 사주신 밥도 먹어서 기분이 좋았다. 근데 몰입도는 엄청나서 2시간 15분이 훌쩍 갔고 은퇴작이라 생각하니 좀 슬펐다. **김나영**

'그대들은 어떻게 살 것인가'를 보기 위해 봤던 영화들을 감상문으로 써보기

처음에 봤던 영화 라퓨타는 제목부터 흥미진진하고 내가 봤던 영화 중 가장 흥미가 생겼고 정말 한 장면 한 장면이 긴장감을 주어 한시라도 눈을 뗄 수 없게 했습니다. 두 번째 포뇨는 귀엽고 깜찍한 포뇨와 함께하는 여행 같은 시간이 시작되며 인간이 되기 위해 포뇨와 함께 하고 싶은 소스케!! 정말 1시간 40분을 포뇨와 소스케에게 시선 집중이 됩니다. 그리고 여러 가지 바다 생물과 여러 상상 속의 생물을 볼 수 있었습니다. 세 번째 원령공주는 자연을 지키려는 산과 자연을 파괴하려는 자들의 싸움이 숲의 신들을 화나게 만들고 아무 죄 없는 사람들이 다치고 자연까지 다치게 하는 위험천만한 일들이 일어나는 원령공주가 지브리에서 가장 잔인한 애니입니다. 네 번째 하울의 움직이는 성, 꽃미남 마법사 하울, 마법에 걸린 여자 소피와 마법 같은 모험이 시작되며 할망구와 대판 싸우고 켈시퍼가 죽었다 깨어나고 하울이

기절하고 마지막에 둘이 키스하며 끝나는데 내가 본 영화 중 가장 재미있고 웃기고 예고편에서 꽃미남 마법사라고 해서 봤는데 전혀 잘생기지 않았습니다. 예고편에 속은 기분이 들었으나 재미있었습니다. 마지막 그대들은 어떻게 살 것인가를 보고 내용이 많이 어렵고 머릿속이 엉망진창이었지만 그래도 완전 재미…… 없었습니다. 영화는 웅장하고 재밌고 스릴 넘치고 먹는 거 제일 많이 나오는 영화가 좋은데 음식은 한 두개 밖에 안 나오고 웅장하지도 않고 스릴이 한 개도 안 넘쳤습니다. 그래도 다 같이 영화를 보고 이런 걸 하니 너무 좋았습니다. 김민지

신나는 영화

우리 반은 월요일부터 금요일까지 영화를 봤다. 월요일에는 '천공의 성 라퓨타'를 봤고 화요일에는 '벼랑 위의 포뇨'를 보았다. 수요일에는 '모노노케 히메'를 보았다. 목~금요일에는 '하울의 움직이는 성'을 봤다. 이 4개의 영화의 공통점은 전부 미야자키 하야오 작가가 그린 것이다. 영화를 볼 때 누워서 보고 앉아서 보기도 하였다. 내가 봤을 때 가장 재미있었던 영화는 하울의 움직이는 성이다. 왜냐하면 하울의 움직이는 성에 나오는 인물들이 다 예쁘고 잘생겼기 때문이다. 스토리도 좋았다.

토요일 9시 40분에 우리 반 친구들과 영화관에 모여 '그대들은 어떻게 살 것인가'를 봤다. 영화관에 도착하여 자리를 잡고 팝콘과 콜라를 샀다. 채윤이가 뽑기 기계를 보더니 뽑기를 계속했다. 시간이 되어 콜라와 팝콘을 들고 자리로 갔다. 우리는 4명이서 앉았고

영화를 봤다. 영화에서 왜가리가 나왔는데 못생겼다. 영화를 다 보고 밖을 나와 밥을 먹으러 갔다. '구연부엌'이라는 식당에 갔다. 나는 '고르곤졸라 치즈돈까스'를 먹었다. 맛있었다. 밥을 먹고 밖으로 나와 친구들과 노래방을 갔다가 오락실에 가서 펀치기계를 한 뒤 친구들과 좌광천으로 걸어갔다. 신나는 하루였다. 한 번 더 놀고 싶다. **김지후**

6일간의 영화 일주

　　　　　우리 6학년 5반은 월~토 6일간 교과 진도를 나가지 않고 영화 감상 수업을 하였다. 먼저 월요일에는 '천공의 섬 라퓨타'라는 영화를 보았는데 먼저 시타가 너무 불쌍하였다. 왜냐하면 자신의 비행석을 계속해서 무스카에게 뺏기기 때문이다. 그리고 미야자키 하야오의 이야기를 들어보니 확실히 천공의 섬 라퓨타에 비행기가 많이 나오는 것 같다. 그리고 천공의 성 라퓨타의 최애 캐릭터는 파즈이다. 왜냐하면 자신의 일이 아님에도 불구하고 희생하여 시타를 도와주어 왠지 내가 다 기분이 좋았다. 두 번째 화요일날 보았던 영화는 내가 세 번째로 좋아하는 '벼랑 위의 포뇨'였다. 왜냐하면 10번 정도 보아도 볼 때마다 좋아하는 장면과 느낌이 새로워지기 때문이다. 그리고 후지모토가 포뇨를 계속 뺏어가려고 힘쓰던 모습이 너무 짜증났다. 그냥 보내주면 좋을 것 같은데 굳이 파도를 해일로 바꾸고 계속 따라가는 모습이 내가 더 짜증났다. 벼랑 위의 포뇨의 최애 캐릭터는 소스케이다. 왜냐하면 포뇨를 지극정성으로 돌봐주고 후지모토의 방해로부터 포뇨를 구해

주었기 때문이다. 세 번째 모노노케 히메(원령공주)를 감상하였다. 모노노케 히메는 처음 보는 영화였는데 생각보다 너무 무서워서 눈을 감은 장면도 많았다. 그리고 아시타카가 살짝 많이 불쌍했다. 왜냐하면 인간과 자연 그사이 경계에 서 있었기 때문에 무섭고 두려웠을 것 같기 때문이다. 그리고 산도 안쓰러웠다. 자연을 지키고 싶었을 뿐인데 공격을 받았던 장면이 안쓰러웠다. 그리고 모노노케 히메의 최애 캐릭터는 아시타카이다. 왜냐하면 산을 위해 희생을 하였기 때문이다. 개인적으로 지브리 영화 중 가장 보기 힘들었다. 네 번째, 목요일과 금요일에 걸쳐 보았던 '하울의 움직이는 성'이다. 이 영화도 어릴 때부터 많이 봐왔던 영화이다. 난 개인적으로 소피의 늙은 모습이 어릴 적(늙지 않았을 때)의 모습보다 더 좋았던 것 같다. 왜냐하면 비록 늙었지만 그 세월만큼 명대사도 많았다. 그 중 "고작 머리 때문에 죽겠다고?!" 이것이었던 것 같다. 소피의 마음과 생각이 잘 드러났기 때문이다. 그리고 황야의 마녀!! 악당 중의 악당이다. 어떻게 그렇게 나쁠 수가!! '하울의 움직이는 성'의 최애 캐릭터는 캘시퍼이다. 어릴 때부터 좋아했는데 그렇게 큰 성을 자신의 힘으로만 움직이는 것이 인상 깊었다. 어릴 적 하울과 했던 계약을 지키려는 모습도 인상 깊었다. 그리고 마이클도 최애 캐릭터이다. 왜냐하면 밖으로 나갈 때 변하는 그 망토가 귀여웠기 때문이다. 그리고 대망의 마지막 '그대들은 어떻게 살 것인가'이다. 나는 개인적으로 지브리 작품 중 이 영화가 가장 좋았다. 비록 반만 이해가 되었지만 친구들과 같이 보아서 더 뜻깊었다. 마히토가 나츠코를 구하기 위해 그곳에 들어간 열정과 끈기가 인상 깊었다. 당연히 나의 최애 캐릭터는 마히토이다. 소스케와 닮아 느낌도 좋고 끈기 있어 더욱더 마음에 와닿았다. 아!! 이 '그대들은 어떻게 살 것인가'에 예전 지브리 영화에 나온 장면이 많았다. 예를 들어 마히토가 소스케와 닮았고 나무 타는 모습도 많이 닮았다. 내가 원래 지브리 영화를 애용하고 사랑하기 때문에 이번 영화도 정말 인상 깊게 보았다. 김채윤

지브리 영화 감상

　　　　　우리 반은 10월 23일부터 10월 28일까지 미야자키 하야오 감독의 지브리(기블리) 영화를 봤다. 10월 23일 월요일에는 천공의 성 라퓨타를 봤다. 처음 보는 영화여서 많이 궁금했다. 라퓨타의 주인공은 시타, 파즈, 도라할머니, 무스카 등이며 도라 할머니 무리와 무스카 무리는 시타의 가보로 내려오는 비행석을 노리는 내용이며 해피엔딩으로 끝나는 감동적인 영화이다. 서로가 서로를 도와주는 모습이 참 아름다운 것 같았다. 제일 기억에 남는 인물은 도라 할머니이다. 왜냐하면 의외의 반전 모습이 있었기 때문이다. 또 봐도 재미있을 것 같다.

　10월 24일 화요일에는 벼랑 위의 포뇨를 봤다. 본 적은 있었지만 또 보니 재미있었다. 주인공은 소스케, 포뇨, 리사 등이며 포뇨가 소스케를 보고 인간이 되고 싶어하는 어린아이의 동심이 담긴 영화이다. 소스케가 포뇨의 어느 모습이여도 사랑스럽다는 이야기에 나도 저런 친구가 있었으면 좋겠다는 생각도 했다. 제일 기억에 남는 인물은 소스케의 엄마 리사이다. 왜냐하면 운전하는 모습이

인상 깊었고 잘 챙겨주는 모습이 우리 엄마 같아서 감동을 많이 받았기 때문이다. 너무 사랑스러웠다.

10월 25일 수요일에는 모노노케 히메(원령공주)를 봤다. 첫 인상부터 무섭고 소름 끼치게 잔인한 영화였다. 주인공은 산(원령공주), 아시타카, 에보시, 지코보 등이 있다. 요약하자면 아시타카가 사는 마을에 재앙신이 내려오고 아시타카는 재앙신의 저주를 받고 에보시가 사는 마을까지 가서 에보시의 속셈을 알고 자연을 지키려는 내용이다. 사람들이 인형처럼 잔인하게 잘려나가니 이 영화는 전체 연령가이면 안 될 것 같다. 기억에 남는 인물은 아시타카이며 자연과 인간이 함께 살아가는 세상을 원하기 때문이다. 잔인하지만 귀여운 것도 있었다.

10월 26일-27일, 목-금요일 이어서 본 영화는 하울의 움직이는 성이다. 하울의 움직이는 성은 들어만 봤지만 실제로 본 것은 처음이었다. 주인공은 소피, 하울, 캘시퍼, 마르클 등이며 소피가 저주를 받아 하울의 성에서 살면서 지내는 마법 이야기이다. 제일 기억에 남는 주인공은 소피이다. 왜냐하면 누군가를 도와주려고 노력하고 정리를 잘하고 두려워하는 것이 없었기 때문이다. 영화를 보며 본받고 싶은 점이 있었는데 첫째, 원수에게도 도움을 주는 것. 둘째, 어떤 모습이든 사랑스럽다고 말하기. 셋째, 더욱더 자연을 사랑하기 넷째, 도와주려고 노력하기. 이로써 영화감상문은 마치도록 하겠다. **류지원**

죽기 전에는 아니지만 그래도 잊지 못할 추억

선생님께서 9월 말쯤 "10월 마지막 주 토요일에 메가박스에서 영화를 보게 될 수도 있어요."라고 좋은 소식을 전해주셨다. 애들이랑 영화도 보고 밥도 먹고 하는게 정말 재미있을 것 같았다. 그리고 10월 거의 마지막 주 월요일에 선생님이 '미야자키 하야오'의 '그대들은 어떻게 살 것인가'라는 영화를 보게 된다는 이야기와 함께 칠판에 영화 포스터를 붙여주셨다. 포스터에 새가 있었는데 새의 입안에 눈이 있어서 '공포물인가...?' 생각했었던 것 같다. 그리고 선생님이 미야자키 하야오의 작품을 먼저 같이 보자고 해서 책상을 뒤로 당기고 돗자리를 펴서 돗자리에 누워서 영화를 보았다. 약간 소풍 온 느낌이라 색다른 기분이었다. 월요일은 천공의 성 라퓨타, 화요일은 벼랑 위의 포뇨, 수요일은 모노노케 히메, 목, 금요일은 하울의 움직이는 성을 보았다. 대망의 토요일, 그대들은 어떻게 살 것인가를 보게 되었다. 애들이랑 버스 정류장에서 만나서 버스를 타고 영화관에 가서 팝콘이랑 콜라를 마시면서 영화를 보았다. 내용이 좀 특이했었다. (스포 방지를 위해 내용은 생략) 암튼 그렇게 영화를 보고 같이 밥을 먹고 놀았다. 애들이랑 버스 타면서 집에 가고 있는데 카톡 단톡에 선생님 엽사가 올라와서 좀 웃겼다. 그리고 그날 낮잠을 거의 4시간 잤다...

(사실 영화 제목이 길어서 말할수록 이상한 제목이 나오는 게 은근 재미있었던 것 같당 ㅋㅋ) **문라희**

너는 왜 그렇게 사는가

우리 반은 전담 시간 빼고 일주일 내내 영화를 보았다. 반에서 본 영화는 총 네 편으로 첫 번째 영화는 '천공의 성 라퓨타'였다. 평소 영화를 즐겨봤던 나였지만 라퓨타는 그날 처음 보았던 영화였다. 선생님이 말하길 라퓨타라는 작품은 1980년대에 개봉한 지브리의 두 번째 영화라고 해서 더 기대됐던 것 같다. 나는 영화를 본 후에 '도라 할머니'라는 캐릭터가 제일 기억에 남았던 것 같다. 왜냐하면 처음엔 시타를 괴롭히는 사람인 줄 알았는데 영화의 후반부에는 파즈와 시타 일행을 도와주는 것이 가장 인상 깊었기 때문이다. 두 번째 영화는 '벼랑 위의 포뇨'였다. 포뇨는 총 6번을 본 영화였지만 볼 때마다 재밌었던 영화였기 때문에 즐거운 마음으로 영화를 보았다. 예전부터 '포뇨'라는 캐릭터를 좋아했는데 영화를 또 본 그날 포뇨가 최애 캐릭터가 되었다. 그만큼 넘나 귀엽고 사랑스럽다.♥♥ 세 번째 영화는 '원령 공주(모노노케 히메)'라는 영화였다. 이 영화도 처음 본 영화였다. 선생님이 영화 시작 전에 징그러운 장면이 나오면 짜장면이라고 생각하라고 해서 징그러운 장면이 많이 나올 줄 알고 겁에 떨었지만ㅋㅋ 선생님이 말한 대로 짜장면이라고 생각하니 뭔가 웃겨 보았다ㅋㅋㅋ. 내 생각에 고타마라는 캐릭터가 가장 기억에 남았다. 왜냐하면 별건 아니고ㅋㅋ 너무 귀여워서이다ㅋㅋ. 네 번째 영화는 '하울의 움직이는 성'이다. 지브리 작품 중 내가 제일 좋아하는 작품이라서 포뇨와 비슷하게 즐겁고 재밌게 봤던 것 같다. '하울의 움직이는 성'이라는 영화에서 많은 ost가 나오는 데 들을 때마다 뭔가 힐링이 되는 느낌이다. 또한 하울의 성은 옆에 있는 색깔 돌리는 거?? 그걸 다른 색으로 돌리면 다른 세계가 나오는 게 신기했다. 마지막으로 본 영화는 지브리의 신작 '그대들은 어떻게 살 것인가'였다. 이 영화는 반 아이들과 선생님과 영화관에서 본 영화로, 몇 아이들은 못 왔지만ㅠㅠ 반 아이들과 선생님과 처음으로 영화관에서 본 영화라 제일 기억에 남았다ㅋㅋ. 반에서 돗자리를 깔고 친구들과 누워서 본 영화도 재미있었지만 영화관에서 보는 것도 만만치 않게 재미있었다. ㅋㅋ 처음에 전쟁 얘기가 나오길래 전쟁에 관한 이야기인 줄 알았는데 전쟁 이야기는 금방 끝나서 뭔가 뒷이야기가 궁금해지는 영화였다. 영화는 후반부로 갈수록 예측할 수 없는 장면들도 많이 나와서 흥미진진했다. 내가 가장 기억에 남는 장면은 마히토의 새엄마, 나츠코가 다른 세계의 산실(?)에서 자고 있다가 마히토가 들어오자 종이가 막 얼굴에 붙고 긴급한 상황인데 나츠코가 마히토를 지키려고 나가라고 네가 싫다고 말하는 게 너무 감동적이고 슬픈 장면이었다. 영화가 끝나고 들었던 생각은 이해하긴 어려웠지만 흥미진진하고 재미있던 것 같다. 팝콘을 먹으면 밥이 안 넘어갈 것 같아서 친구들과 팝콘을 나누어 먹었던 것도 재미있고 잘한 선택인 것 같다. 왜냐하면 구연부엌인가? 거기 음식이 너무너무 맛있었기 때문이다. 우리 테이블은 나, 라희, 나영이 이렇게 앉았는데 내가 좋아하고 친하게 지내는 친구들과 같이 밥을 먹으며 수다를 떠는 것도 즐거웠다. 밥을 맛있게 먹고 방방장에 갔는데 공으로 많이 뚜들겨 맞아서ㅋㅋ 그냥 버스 타고 집으로 갔다ㅋㅋ. 그렇게 10월 28일의 일정은 끝이 났다. **박채은**

6일간의 영화

　　　　우리 반은 토요일에 볼 '그대들은 어떻게 살 것인가'를 보기 위해 5일 동안 지브리의 영화 작품들을 보았다. 첫 번째로 본 영화는 '천공의 성 라퓨타'였다. 이 영화의 줄거리는 다음과 같다. 시타의 할머니께서 가보를 물려주셨다. 그 가보는 목걸이였는데 그 목걸이에 마법이 있었다. 그 목걸이를 가진 사람은 라퓨타의 왕이 될 수 있었고 그래서 그 목걸이를 가지기 위해 시타와 무스카가 싸우고 파즈가 시타를 돕는 내용이다. 이 영화를 보고 나서 파즈가 멋있다라고 생각했다. 두 번째 영화는 벼랑 위의 포뇨이다. 이 영화의 주인공은 포뇨인데 포뇨가 너무 귀엽고 포뇨가 소스케를 찾으러 뛰어다닐 때 너무 웃겨서 가장 기억에 남는 캐릭터가 되었다. 그릭 포뇨 엄마 아빠가 포뇨를 인간 세상으로 보낼 때 좀 감동이었다. 세 번째 영화는 '모노노케 히메(원령 공주)'라는 영화였다. 이 영화는 정말 잔인한데 전체 관람가였다. 나는 이 영화를 볼 때 아시타카가 너무 불쌍했다. 왜냐하면 자연도 지켜야 하고 인간들도 지켜야 하기 때문이다. 산은 자연을 지키지만 인간을 싫어했다. 나는 산이 자연도 지키고 인간도 좋아했으면 좋았을 것 같다. 이 영화는 좀 잔인하긴 했지만 5일 동안 본 영화 중에서는 제일 인상 깊은 영화였다. 마지막으로 본 영화는 '하울의 움직이는 성'이다. 솔직히 이 영화는 하울이 너무 짜증났다. 이미 충분히 잘생겼는데 머리가 염색됐다고 절망하는 모습을 보니 어이없었다. 이 영화는 정말 재미있었다. 드디어! 주말에 우리 반끼리 만나서 영화관에 가서 영화를 보았는데 우리 반끼리 봐서 더 인상 깊었고 재미있었다. 내용을 이해하기는 좀 어려웠지만 재미있었다. 왜가리와 새가 많이 나왔는데 왜가리가 잘생길 줄 알았는데 솔직히 좀 못생 겼다. 큰할아버지가 마히토한테 도형을 쌓아서 네 세상을 만들라고 했는데 거절해서 놀랐다. 나라면 좋게 받아들였을 텐데 ㅋㅋ

영화를 다 보고 밥을 정말 맛있게 먹었다. 선생님 감사해요♥   이 다해

우리들의 추억

우리는 우리 반이 함께 지브리 미야자키 하야오의 은퇴작 '그대들은 어떻게 살 것인가'를 보기 위해 지브리 시리즈 영화들을 보고 함께 생각을 나누는 영화 감상 수업을 했다. 이 수 업을 할 때 첫 번째로 본 영화는 '천공의 성 라퓨타'이었다. 이 영 화는 라퓨타라는 하늘의 떠 있는 섬을 주제로 다룬 영화이다. 이 영화를 보고 서로 감상을 나누었다. 정말 재미있는 수업이었다. 그 다음 날에는 '벼랑 위의 포뇨'를 보았다. 원래 4~5번 본 영화였지 만 그래도 재미있었다. 영화를 보고 난 후 전날과 똑같이 감상을 나누었다. 이렇게 계속 감상 수업을 하니 내가 영화를 감상하는 실 력(?)이 느는 것 같았다. 그다음 날에는 '모노노케 히메'라는 영화 를 보았다. 정말 스릴 있고 재미있는 영화였다. 하지만 너무 잔인 한 장면이 많이 나오니 주의! 또 그다음 날과 다음 날에는 '하울의 움직이는 성' 영화를 보았다. 다 보고 난 후 정말 여운이 크게 남 았다. 감상을 또 나누었다. 이때까지 본 지브리 작품에서 선생님은 '벼랑 위의 포뇨'의 소스케를 정말 닮은 것 같다는 생각이 가장

많이 들었고 지브리 작품들은 모두 영화의 주인공의 캐릭터가 잘 살아났다는 점이 돋보였다. 또 지브리 작품을 볼 때마다 신비롭다는 느낌을 크게 받았다. 드디어! 우리 반이 함께 미야자키 하야오의 은퇴작을 보러 가는 날이 왔다. 영화관에 도착해 나의 개인 돈으로 음료수를 사서 영화관에 들어갔다. 너무 설렜다. 영화는 2시간 40분이었다. 들어가니 영화가 상영되었다. 그 2시간 40분이 2분 40초처럼 아주 빠르게 지나갔다. '그대들은 어떻게 살 것인가' 영화는 나에게는 정말 재밌는 인생 영화가 된 것 같았다. 영화의 그림체가 실제처럼 입체적이게 표현되어 더욱 생생한 느낌을 받았고 영화의 줄거리나 스토리가 정말 유쾌하면서도 감동 있게 표현한 것이 정말 대단했다. 영화를 다 본 후 구연 부엌이라는 양식 식당을 갔는데 나는 알리오 올리오 쉬림프라는 음식을 시켰다. 정말정말 맛있었다. 이 알리오 올리오 쉬림프를 시키길 잘했다는 생각이 들었다. 밥을 다 먹고 난 후 우리 6-5반은 아쉽게 해산하였다. 6학년의 아주 즐거운 추억이 하나 더 생겼다. **이루리**

천공의 움직이는 벼랑 위의 원령공주!!!!

일주일 동안 총 5편의 지브리 영화를 봤다. 지브리의 감독인 미야자키 하야오의 영화를 봤다. 월요일에는 천공의 성 라퓨타를 봤는데 오래된 옛날 영화라 그런지 내가 좋아할 만한 분야는 아니었다. 그리고 화요일에는 벼랑 위의 포뇨를 봤는데 포뇨의 아기들? 걔네가 귀여웠다. 근데 물 밖으로 나오니 이상한 걸로 변해서 징그러웠다. 수요일에는 모모노케 히메(원령공주)를 봤다. 좀 많이 징그러운 장면과 잔인한 장면이 많이 나왔다. 징그러운 장면이 나올 땐 짜장면이라고 생각했었다. 그리고 목요일과 금요일에 이틀에 걸쳐서 본 영화는 하울의 움직이는 성이다. 이 영화에서 좀 신기했던 게 스위치? 같은 걸 돌릴 때마다 장소가 바뀌는 게 신기했다. 그리고 마지막 거의 다 와 갈 때쯤에 황야의 마녀가 애기로 변해서 하는 행동도 신기했다. 그리고 마지막으로 토요일에 메가박스에서 거의 미야자키 하야오의 마지막 작품으로 불리는 그대들은 어떻게 살 것인가를 보았다. 이 영화는 개인적으로 조금 무슨 말인지 이해를 못했지만 히미가 불로 마히토를 구하러 왔을 때부터 흥미진진하고 재미있었다. 이 내용 외에는 잘 이해가 안 되어서 그렇게 재미있지는 않았던 것 같다. 그래도 재미있었다.   채유민

1주일 동안 영화 감상 수업, 단체 영화 관람

1주일 동안 선생님, 반 친구들과 함께 영화 감상 수업을 해보았다. 전담 시간 빼고 영화를 감상한 후 감상문을 작성하고 발표하며 함께 해석을 해보기도 했다. 월요일에는 "천공의 성 라퓨타". 화요일에는 "벼랑 위의 포뇨", 수요일에는 "모노노케 히메", 목요일~금요일에는 "하울의 움직이는 성". 토요일에는 "그대들은 어떻게 살 것인가"를 보았다. 시간이 된다면 "바람계곡의 나우시카", "센과 치히로의 행방불명", "이웃집 토토로", "붉은 돼지", "추억은 방울방울", "마루 밑 아리에티", "마녀 배달부 키키" 등 여러 명작들도 보고 싶었지

만 시간이 없어 다 보지 못한 것이 매우 아쉽다. 일단 30명의 애니메이터들의 손을 거쳐 이런 대단한 작품이 나올 수 있었다는 것이 매우 놀랍고 모든 작품들이 컴퓨터 그래픽들이 거의 들어가지 않고 모든 배경들을 다 직접 그렸다는 것이 매우 놀랍다. 확실히 내가 일본 애니 중 제일 인기 있고 최고의 작품을 만드는 회사는 지브리라고 할 정도로 최고라고 생각한다. 그리고 지금까지 해본 적 없는 색다른 경험을 해보아서 정말 재미있었던 것 같다. 영화관에 진짜로 간다고 했을 때 정말 놀랐는데 사실이라고 해서 "와~ 이런 수업은 다시는 없겠구나"하고 적극적으로 참여하게 된 수업인 것 같다. 김민석

그대들은 어떻게 살 것인가의 영화

　　　　　　　　　　　우리는 미야자키 하야오의 영화를 보기 위해 5일 동안 지브리 영화를 보았다. 공부 안 하고 영화 보고 감상문 적고 하는 게 재미있었다. 우리 6학년 5반은 미야자키 하야오의 새로 나오는 영화를 보기 위해 5일 동안 천공의 성 라퓨타, 벼랑 위의 포뇨, 모모노케 히메, 하울의 움직이는 성을 보았다. 그렇게 지브리의 영화를 이해하였고 우리는 토요일 날 10시까지 메가박스 앞으로 모였다. 그렇게 모두 모이고 자리를 정한 뒤 표를 들고 팝콘과 음료를 사서 상영관으로 이동했다. 그렇게 떨리는 마음으로 자리에 앉아 기다리고 기다려서 영화가 시작했다. 영화에는 주인공, 마히토가 있고 왜가리, 앵무새, 나츠코, 히메 등등 가지각색의 캐릭터들이 나왔다. 그렇게 재밌게 보고 있는데 주

인공 마히토가 자기 머리를 치는 장면이 있는데 왜 그렇게 했는지 의문이었다. 그렇게 영화를 재밌게 다 본 뒤 우리는 밥을 먹기 위해 구연 부엌이라는 카페 느낌의 식당에 갔다. 나는 알리오 올리오 파스타를 시켰고 다른 애들도 자기의 음식을 주문했다. 나는 내 음식이 나오기 전에 친구 돈까쓰를 뺏어 먹었다. 맛있었다. 알리오 올리오 파스타가 나오고 나는 다 맛있게 먹은 뒤 1010번 버스를 탄 뒤 집으로 갔다. 너무 재밌었고 좋았다. **김민준**

6일 영화

우리 반 6학년 5반은 6일 동안 반에서 영화를 봤다. 첫 번째로는 '천공의 성 라퓨타'이다. 천공의 성 라퓨타를 요약하자면 시타라는 여자 주인공이 하늘에서 내려와 파즈를 만나 비행석을 노리는 해적들을 피해 라퓨타를 찾는 내용이다. 천공의 성 라퓨타를 보고 느낀 점은 비행기, 비행을 할 수 있는 기계가 많아서 재미있었습니다. 두 번째로 본 영화는 '벼량 위의 포뇨'입니다. 포뇨는 10번은 본 것 같았지만 100번을 더 봐도 재밌는 작품이라고 생각합니다. 그 이유는 각 캐릭터의 특이한 매력이 인상적이었기 때문입니다. 세 번째로 본 영화는 '모노노케 히메'입니다. 모노노케 히메는 지브리에서 가장 잔인한 영화인 것 같습니다. 영화를 볼 때 재앙신이라는 신이 있는데 재앙신이 너무 징그럽고 주인공 아시타카가 닌자들을 죽일 때 징그러운 장면이 너무 많이 나와서 재미는 있었지만 추천하지는 않을 것 같다. 네 번째는 '하울의 움직이는 성'입니다. 제가 제일 기대한 영화어서 너무 재밌었고 기대한 만큼

네 개의 영화 중 가장 재밌었고 하울의 성과 풍경, 그림체까지 모든 그림들이 아름다웠습니다. 가끔 이해가 되지 않는 장면도 있었지만 전체적인 스토리가 재미있었습니다. 마지막으로는 '그대들은 어떻게 살 것인가'입니다. 이 영화는 우리 반 친구들과 함께 영화관에서 봤습니다. 마야자키 하야오의 은퇴작이라 더 기대된 영화였습니다. 주인공인 마히토가 미야자키 하야오 본인을 그린 주인공이라는 설정이 흥미로웠고 귀엽고 징그러운 캐릭터가 많았습니다. 하지만 스토리 전개가 너무 어려워서 궁금한 점도 많았지만 재밌었고 친구들과 선생님이랑 영화를 본 추억을 만들 수 있어서 좋았고 재미있었습니다. 김정주

그대들은 어떻게 살 것인가

　　　　　　　10월 마지막 주에 우리 반은 영화 감상 수업을 했다. 이 수업은 총 5편의 미야자키 하야오 감독 작품을 보고 소감과 감상편을 쓰는 것이다. 우리 반은 학교에서 '천공의 성 라퓨타', '벼랑 위의 포뇨', '모노노케 히메', '하울의 움직이는 성', 그리고 영화관에서 본 '그대들은 어떻게 살 것인가',가 있다. 나는 영화관에서 본 '그대들은 어떻게 살 것인가'가 가장 기억에 남는다. 왜냐하면 미야자키 하야오 감독의 은퇴작이기도 하고 무엇보다 지브리 작품이기 때문이다. 나중에 들은 바에 의하면 이 작품은 미야자키 하야오 감독의 삶을 표현한 작품으로써 컴퓨터 그래픽이 아닌 오직 그림만으로 표현한 작품이라 지브리 영화 제작 기간 중 가장 긴 7년이라는 시간 동안 만들어졌다. 또한 중간

에 예산이 부족해서 넷플릭스에 지브리 영화들의 저작권을 모두 넘겼다고 한다. 그래도 7년이라는 시간 동안 만들어진 영화인지라 확실히 fps도 높고 퀄리티도 좋지만 스토리는 아직도 이해가 잘 안된다. 심지어는 이 작품을 구상한 미야자키 하야오마저도 이 영화를 이해하지 못했다고 한다. 나는 이 영화가 특별하다고 생각되는 이유가 예고편과 팬 미팅도 없고 나온 것이라고는 포스터 1장이 끝이었다고 한다. 심지어는 미야자키 하야오 감독은 지금도 새 작품을 구상하고 있다고 한다. 참 재미있는 1주였다.   **김태우**

영화

원령공주를 보고 느낀 점은 일단 지렁이같이 생긴 게 징그럽고 괴물이 이상하게 생겼고 원령공주는 정말 예쁘고 원령공주 옆에 있는 늑대는 정말 귀엽고 아시타카는 정말 힘을 잘 쓰고 잘생겼다. 지코보는 못생겼고 사이비 같고 이상하다. 에보시도 예뻤다. 그리고 아시타카는 저주에 걸려도 잘생겼다. 사슴신은 귀엽고 무섭고 이상하다. 천공의 성 라퓨타에서 파즈는 엄청 잘생겼고 시타는 예쁜 것 같으면서 아닌 것 같고 도라 할머니는 못생겼다. 무스카는 아저씨 같다. 벼랑 위의 포뇨에서 소스케는 잘생겼고 포뇨는 모르겠다. 리사는 운전을 잘하고 후지모토는 아줌마 같다. 하울의 움직이는 성에서 소피는 아줌마 같고 하울은 잘생긴 것 같고 캘시퍼는 귀엽고 잘생겼다. 마르클은 뚱뚱한 것 같다. 그대들은 어떻게 살 것인가 영화를 보고 느낀 점은 마히토는 자해를 하고 잘생겼다. 히미는 예쁘다. 왜가리는 이름이 이상하고 못생겼다. 큰 할아버지는

멋있게 생겼다. 그리고 수염이 길고 머리가 길다. **남민성**

제일 재미있었던 하루

10월 23일부터 27일까지 교실에서 영화를 봤다. 월요일에는 천공의 성 라퓨타를 봤고, 화요일에는 벼랑 위의 포뇨, 수요일에는 원령공주, 목요일과 금요일에는 하울의 움직이는 성을 봤다. 그리고 10월 28일에 우리 반이 메가박스에서 그대들은 어떻게 살 것인가를 봤다. 아주 재밌었는데 내용이 짧아서 아쉬웠다. 중간에 무서워서 태우 손을 잡았다. 그리고 구연 부엌이라는 식당에서 우리반 친구들과 함께 파스타를 먹었다. 아주 맛있었다. 다음으로 태우 집에 놀러가서 떡볶이도 먹고 재밌게 놀다가 5시에 집에 갔다. 천공의 성 라퓨타는 내용이 흥미진진했고 포뇨는 포뇨가 귀여웠고 마법을 쓰는 게 멋졌다. 원령공주는 너무 무서웠어서 그 날 밤에 어머니랑 함께 잤지만 그래도 내용이 흥미진진했고 자연을 더 아껴야 한다는 생각이 들었다. 하울의 움직이는 성은 하울이 마법을 쓰는 게 멋졌고 감동적이었다. 하지만 할머니가 답답했다. 정말 좋은 경험이었다. **박성준**

재미있었던 영화 관람

10월 28일 드디어 우리 반 아이들이랑 영화를 보러 가는 날이다. 지브리 영화여서 5일 동안 지브리 영화를 보았다. 라퓨타, 포뇨, 원령공주, 하울의 움직이는 성, 그리고 그대들은 어떻게 살 것인가를 보았다. 그중에 나는 원령공주가 가장 기억에 남는다. 왜냐하면 선생님이 지브리 영화를 어떤 사람이 어떤 사람을 도와주는 영화라고 하여서 원령공주 영화가 가장 많이 도와주는 것 같아서 원령공주가 가장 기억에 남고 그다음에는 그대들은 어떻게 살 것인가에는 인생 이야기나 인생 영화가 나오는 줄 알았는데 무슨 내용인지 이해가 잘 가지 않았다. 마지막으로 좋아하는 영화는 센과 치히로의 행방불명이다. 5일 동안 보지는 않았지만 친구 데이에 보아서 기억에 남지만 내가 처음 본 지브리 영화여서 기억에 남는다. 처음으로 친구들이랑 같이 영화를 보니까 새로운 감정이 들었고 친구들 옆에서 영화를 보니 가족과 보는 느낌도 다르고 떠들 수 있어서 좋았다. 배성제

영화 감상 수업 후기

우리 반에서는 5일 동안 4편의 영화를 보았다. 그리고 토요일에 메가박스에서 그대들은 어떻게 살 것인가까지 5개의 영화를 봤다. 하지만 나는 토요일에 영화를 보지 못했다. 저번 주에 본 4개의 영화는 각각 천공의 성 라퓨타, 벼랑 위의 포뇨, 모노노케 히메, 하울의 움직이는 성을 봤다. 영화의 내용과 보고 느낀 점은 다음과 같다.

천공의 성 라퓨타: 파즈가 비행석을 가지고 떨어지던 시타를 발견하고 전설 속의 문명 천공의 성 라퓨타를 찾게 된다. 그 과정에서 무스카와 군인과 대립하게 된다. 하지만 비행석으로 라퓨타 문명을 멸망시키면서 라퓨타가 무스카의 손에 들어가지 않게 한다. 나는 영화에서 파즈가 일면식도 없던 시타를 목숨 걸고 도와주고

지켜주는 게 이해가 되지 않았다. 그리고 라퓨타가 예쁘게 생겨서 좋았는데 많이 안 나와서 아쉬웠다.

벼랑 위의 포뇨: 소스케가 뭍에서 포뇨를 발견해 리사와 함께 포뇨를 키운다. 하지만 포뇨의 아빠 후지모토가 포뇨를 소스케한테서 떼어 놓으려 한다. 하지만 후지모토의 아내 그랑맘마레는 포뇨와 소스케를 위해 후지모토를 설득해 포뇨가 불러온 재앙을 되돌리고 포뇨와 소스케를 이어준다. 이 영화에서는 포뇨가 너무 귀엽고 소스케랑 포뇨가 함께하는 일상의 분위기가 좋았다. 그리고 그랑맘마레가 소스케를 믿고 포뇨가 인간이 되게 하는 게 감동스러웠다.

모노노케 히메: 재앙 신을 잡다가 오염된 아시타카가 사슴 신에게 치료받기 위해 사슴신의 숲에 간다. 사슴신의 숲 옆에서 사슴신을 잡으려는 에보시와 에보시를 죽이려는 산을 만난다. 산과 에보시를 설득하려 하지만 에보시는 사슴 신을 죽인다. 그로 인해 모든 것을 파괴하는 사슴신은 아시타카가 막는다. 이 영화는 다른 영화에 비해 많이 징그럽고 잔인했다. 그리고 사슴 신을 죽인 에보시가 이해가 안됐다.

하울의 움직이는 성: 하울이 황야의 마녀에게 저주받은 소피와 자신을 쫓는 설리번에게 도망치는 내용이다. 하울이 잘생겼고 무대가리가 하는 행동이 귀여웠다.

내가 일주일동안 영화를 보며 느낀 점은 이렇다. 교과서 공부를 하지 않아서 좋고 재미있는 경험이었던 것 같다. **이규하**

영화 관람

       10월 23일, 토요일에 "그대는 어떻게 살 것인가" 영화를 보기 위해 지브리 작품을 보았습니다. 영화는 천공의 섬 라퓨타를 보았고 감상평은 지루하고 재미가 없었다는 것이다. 10월 24일은 벼랑 위의 포뇨 영화를 봤다. 감상평은 재미있었다는 것이다. 10월 25일은 모노노케 히메 영화를 봤다. 감상평은 무슨 영화인지 몰랐다는 것이다. 10월 26일은 하울의 움직이는 성을 10분만 보았다. 10월 27일은 하울의 움직이는 성 보던 것을 봤다. 감상평은 할머니가 트롤이었다는 것이다. 10월 23일에서 10월 27일까지 본 영화 중에서 가장 재미없었던 영화는 모노노케 히메이다. 가장 재미있었던 영화는 벼랑 위의 포뇨이다. 10월 28일에 메가 박스에서 '그대들은 어떻게 사는가' 영화를 보러 갔다. 감상평은 영화가 조금 어렵다는 것이다. 영화를 보고 밥을 먹으러 갔다. 맛있었다. 영화를 보러 친구들이랑 가니 좋았다.   **이도윤**

우리 반 영화관

       오랜만에 학교에서 영화를 봤다. 그것도 지브리 영화를 봤다. 본 이유는 미야자키 하야오의 신작 그대들은 어떻게 살 것인가를 더 잘 이해하고 보기 위해서이다. 총5편의 영화를 봤다. 첫 번째로 본 영화는 천공의 성 라퓨타이다. 두 번째 영화는 벼랑 위의 포뇨였다. 세 번째는 원령 공주였다. 네 번째는 하울의 움직이는 성이었다. 지브리의 영화여서 그런지 정말 재미있었다. 그리고 토요일 드디어 영화관에서 그대들은 어떻게 살 것인가를 봤다. 아주 재밌었다. 다 보고 난 뒤에는 구연부엌에 가서 밥을 먹었다. 양식집이었는데 맛있었다. 다음에 또 가족들과 가고 싶었다. 다 먹고 난 뒤 좀 놀다가 집으로 갔다. 정말 재미있었다. **이동건**

영화를 보기 위한 과정

우리 반은 10월 28일 그대들은 어떻게 살 것인가를 보려고 영화를 많이 봤다. 월요일에는 천공의 성 라퓨타를 봤다. 라퓨타는 미래를 나타낸 것 같다. 왜냐하면 사람이 날아다니고 하늘에 성이 있고 비행석이라는 것도 있어서이다. 그래서 보는 동안 재미있었다. 그리고 화요일에는 포뇨를 봤다. 포뇨는 예전에 봤었는데 지금 봐도 재미있고 연출이 신기했다. 그림을 직접 다 그렸다는 게 신기했다. 그리고 수요일에는 모노노케 히메를 봤다. 지브리의 영상 중 가장 잔인하고 징그러운 영화였다. 영화 초반에 재앙신이 나왔는데 볼 때마다 짜장면이 생각나서 배고팠다. 그리고 목, 금은 하울의 움직이는 성을 봤다. 나는 한 번도 하울의 움직이는 성을 제대로 다 본 적이 없는데 처음으로 제대로 다 봤다. 그리고 마지막 그대들은 어떻게 살 것인가를 봤다. 근데 내용이 이해가 잘 안됐다. 그리고 보고 난 후 선생님이 예약한 음식점을 갔다. 팝콘도 먹고 좋았다. **이혁진**

그대들은 왜 사는가

월요일 아침에 두려운 마음으로 학교를 갔다. 근데 환희의 소리가 들렸다. 바로 일주일 동안 영화를 본다는 소리가 내 귀를 통과했다. 오늘은 천공의 성 라퓨타를 봤다. 솔직히 내용은 별로지만 볼만했다. 그리고 다음 날 오늘은 화요일 오늘은 벼랑 위 포뇨를 봤다. 재밌었다. 어제 라퓨타보다 재밌었다. 다음 날 수요일에는 모모노케 히메를 보았다. 제일 재밌었다. 다음 날 모모노케 히메에 대해 이야기를 했다. 나는 사슴신이 제일 좋았다. 그리고 하울의 움직이는 성을 봤다. 별로였다. 금요일에도 하울의 움직이는 성을 봤다. 역시 별로였다. 그리고 내일 볼 그대들은 어떻게 살 것인가를 어떻게 보러 가는지 이야기했고 점심도 이야기했다. 드디어 오늘이다. 내가 기다리던 날이다. 메가박스에 가서 팝콘, 버터 오징어구이, 음료수를 사서 영화를 봤다. 재미가 없었다. 영화를 다 보고 구연 부엌이라는 식당을 갔다. 나는 고르곤졸라 치즈 돈까스를 먹었다. 맛있었다. 그리고 키방을 가서 놀고 집에 와서 마라탕을 먹었다. 그리고 할로할로 파티를 갔다. 그리고 이렇게 일주일이 끝났다. 이 활동이 너무 재밌고 좋은 경험이었다.
정준혁

우리 반끼리 영화 본 경험

영화를 본다고 했을 때 너무 설렜다. 그대들은 어떻게 살 것인가는 너무 재미있었다. 끝나고 나서 선생님이랑 친구들이랑 식당에 가서 맛있게 식사를 하고 성준이랑 태우 집에 갔다. 친구들과 함께 영화를 보는 시간이 앞으로도 종종 있었으면 좋겠다.   **지인환**

9

운동회

설레는 운동회

우리들의 운동회가 시작되었다. 사실 나는 6학년임에도 불구하고 이번 운동회가 첫 운동회이다. 초등학교에서는 처음이자 마지막이 되는 운동회인데 그래서 그런지 시작하기 전부터 심장이 막 두근댔다. 드디어 운동회가 시작되었다는 설렘과 지면 어떡하지 하는 걱정으로 내 머리가 가득 찼을 때쯤, 진행자 아저씨가 우렁찬 목소리로 호응 유도를 하며 운동회의 막을 열었다. 첫 번째는 4학년의 경기였다. 비록 같은 학년은 아니었지만 너도 나도 "청팀 이겨라!"하며 응원해주었다. 운동장이 응원의 목소리로 가득 찬 것 같았다. 그리고 한편으로는 이기려고 애쓰는 아이들을 보며 대단하다는 생각도 잠시 들었다. 우리의 열정이 아이들에게 닿았을지는 잘 모르지만 결과는 청팀의 승리였다. 그리고 곧 6학년의 경기 차례도 왔다. 훌라후프로 징검다리를 만들어 건너는 게임이다. 솔직히 남자아이들이 많이 힘든 게임이라 여학생들은 빨리 빨리 건너 주기만 하면 된다. 그래서 옆 친구와 손을 잡고 함께 빨리 건너갔다. 결과는 역시나 청팀이 이겼다. 고생해 준 친구들에게 고마웠고 대견했다. 경기를 끝내고 자리에 앉았을 때가 되어서야 운동회라는 게 실감이 났다. 충분히 휴식을 취하고 나니 다음 경기였다. 줄다리기를 해야 하는데, 상대는 강한 8반이었다. 호흡을 가다듬고, 줄을 잡았다. 시작! 경기의 시작과 동시에 응원의 목소리가 들려왔다. 그런데, 우리는 악을 쓰며 버티고 있었지만 자꾸만 줄이 8반 쪽으로 기울어졌다. 그리고... 우리는 졌다. 아쉬웠지만, 우리 모두 최선을 다했으니 충분했다. 그리고 가장 인상 깊었던 '

운명 달리기'시간이었다. 달리며 스케치북에 제시된 행동을 하면 되는데... 내 행동은 '막춤 추기'였다. 부끄러운 나머지 그냥 말 그대로 막춤을 췄다. 그리고 들어오니 나는 3등이었다. 그런대로 나름 만족했다. 운동회가 점점 마지막을 달려가고, 마지막 계주까지 마치고 나니 벌써 운동회가 끝났다. 결과는 우리 청팀의 승리였다. 하지만 승패와 상관없이 마지막을 우리 모두 즐겼다. 그때 감동을 받았다. 우리의 모습은 너무나 아름다웠다. 평생 기억에 남을 운동회였다.   권채원

이잘싸

　　운동회를 크게 하는 건 유치원 때 이후로 처음 해보는 것이었다. 그래서 더 떨리고 재밌게 하고 싶었다. 그래서 옷도 친구들과 맞추려 했지만 결국에는 못 맞췄다. 그리고 운명 달리기에서 뽑기를 할 때 어떤 미션이 나올지 친구들과 예측하니 재미있었다. 그리고 운동회 전날 무슨 옷을 입을까 엄청 고민했는데 그냥 후리스를 입었다. 근데 의자 놓는 건 그렇다 쳐도 우리가 의자 정리까지 하는 건 솔직히 저학년들이 해야 한다고 생각한다. 4학년 5학년 6학년 이렇게 순서대로 했다. 응원단으로 나가서 춤도 추고 목이 다 쉴 만큼 "청팀 파이팅!!"이라고 계속 외쳤다. 그리고 처음 종목이 징검다리였는데 연습 게임에서 우리 반이 좀 고쳐야 할 게 많아서 걱정했는데 그래도 생각보다 잘했다. 첫 승을 청팀이 가지게 되어 기분이 너무 좋았다. 애들이랑 기 싸움도 하고 기선제압도 했다ㅋ 그리고 가장 긴장했던 줄다리기를 했다. 2반이랑 3반이랑

붙었을 때 2반이 이겼고 10반 7반 붙었을 때 7반이 이겨서 우리 반이 이겨야 더 유리한 상황이 돼서 더 긴장했다. 근데 우리 자리를 잘못 배치한 것 같다. 오준혁이 앞에 있어서 우리가 거의 끌려 갔다. 줄다리기는 우리가 졌다. 운명 달리기도 했는데 이게 젤 재 밌었고 2등 해서 좋았다. 그리고 50점 차이로 청팀이 지고 있었는데 계주에서 역전하고 이겨서 거의 한국 16강 진출했을 때만큼 소리 질렀다. 몇 년 만에 운동회를 했는데 너무 재밌어서 좋은 추억을 만든 것 같아 좋다. **김나영**

슬기로운 정원초 첫 운동회

운동회 때 1,2,3학년이 먼저 운동회를 해서 우리는 1,2교시 때 영화에 대해서 말하고 3교시가 끝나고 밥을 먹으러 갔다. 원래는 4교시가 점심인데 체육대회가 4교시부터여서 3교시에 점심을 먹고 반에 있다가 줄 서서 운동장으로 내려갔다. 내려가서 우리 반 천막을 찾아 앉아 있었다. 우리는 3,4학년 다음으로 해서 3,4학년이 끝나고 했다. 3,4학년이 끝나고 우리 6학년 차례가 왔다. 첫 번째로 징검다리 건너기를 하고 3,4학년을 기다렸다. 줄다리기 차례가 왔다. 줄다리기를 6-8이랑 뜨는데 8반이 너무 잘해서 우리 반은 2초 만에 밀렸다. 진짜 어차피 질 운명이었다. 그리고 또 3,4학년 지나고 우리 차례가 왔다. 이번에는 운명 달리기였다. 운명 달리기는 너무 쉬워서 미션 춤추기하고 당연 내가 이겼다. 폴짝폴짝 뛰면서 물 벌컥벌컥 마시면서 쉬었다. 그리고 대망의 마지막 계주가 나왔다. 다리 떨면서 나왔다. 근데 나는 마지막에서 3번째이다. 조금씩 내 차례가 와서 진짜 마음이 점이 됐다. 그렇게 내 차례가 왔다. 심장을 졸이면서 기다리니 막대기가 손에 들어왔다. 들어오자마자 뛰었다. 뒤도 안 보고 뛰다 보니 남민성이 나왔다. 진짜 분노의 질주를 하면서 민성이에게 막대기를 넘기고 들어갔다. 그리고 소리에 비명을 지르면서 보다가 마지막이 왔다. 그렇게... 이겼다. 그렇게 청팀이 이겼다. 아주 펑펑 뛰면서 교장 쌤 말씀을 듣고 선생님과 종례하고 집에 갔다. 끝. **김민지**

목 아픈 운동회

우리는 처음으로 운동회를 했다. 우리 반은 청군이었고 나와 민석이 나영이 라희는 응원 단장이어서 응원 겸 춤을 췄다. 특히 나영이의 헤드뱅잉이 가장 재미있었다. 우리 차례가 되어 나가니 첫 번째로 징검다리 건너기를 했다. 이 종목은 남자가 훌라후프로 다리를 만들어 여자가 건너가는 게임이다. 이 게임이 끝나고 결과는 청팀이 이겼다. 우리는 이긴 것에 기뻐하며 소리를 질렀다. 4학년, 5학년이 끝나고 우리 차례가 다시 왔다. 두 번째 경기는 줄다리기였다. 우리는 8반과 했는데 8반에는 힘이 센 애들이 앞에 있어서 힘들었다. 결국에는 백군이 이겼다. 세 번째는 운명 달리기였다. 스케치북에 적혀 있는 미션을 보고 하는 게임이었다. 나는 발목을 다쳤지만 열심히 했다. 마지막 게임은 계주였다. 4,5,6학년이 계주 대표를 뽑아 뛰는 것이었다. 우리 반은 민지와 민성이가 나갔다. 우리 반은 응원을 가장 열심히 했다고 생각한다. 결국에는 청팀이 이겨 행복한 날이었다. 집에 가서 엄마에게 이야

기하니 잘했다면서 용돈을 주셨다.   김지후

초등학교 6년, 첫 운동회

10월 31일, 나 김채윤의 초등학교 첫 운동회가 열리는 날이었다. 어린이집에서 조그마하게 했던 운동회가 인상 깊어서 이번 운동회도 기대가 많이 되었다. 1,2,3교시는 저학년, 4,5,6교시는 고학년이 운동회 경기를 하였다. 우리의 경기 종목은 징검다리 건너기, 줄다리기, 운명 달리기, 계주가 있었다. 먼저 징검다리건너기는 남학생이 여학생들을 위해 훌라후프로 징검다리를 만들어 건너는 것이었다. 리허설 때는 잘 되지 않았는데 역시 실전!! 실전에선 우리 팀(청팀)이 이겼다. 나도 징검다리를 놔보고 싶은데... 아쉬웠다. 그래도 이겨서 기분이 좋았다. 두 번째 경기는 줄다리기였다. 우리 반은 8반과 줄다리기 경기를 하였다. 간발의 차이(?)로 우리 팀이 지게 되었다. 결과적으로도 청팀이 패배하고 백팀이 승리하였다. 더 많은 게임이 우리를 기다리고 있었기 때문에 별 상관이 없었다. 그리고 내가 가장 기대하던 '운명 달리기'가 우리를 기다리고 있었다. 드디어 내가 뛸 차례가 되었다. 긴장이 되었다. 우리 팀의 문제는 '정원초 최고 3번 외치기'였다. 나는 마이크에 대고 크게 '정원초 최고'를 3번 외쳤다. 나는 간발의 차이로 3등으로 들어오게 되었다. 너무 아까웠지만 '꼴등이 아닌 게 어디야~! 긍정 마인드!! 마지막은 계주였다. 우리 반에서는 민지와 민성이가 뛰게 되었다. 왔다 갔다~ 앞서고 앞서 드디어 마지막 사람이 뛰기 시작했다. 드디어!! 우리 청팀이 이기게 되었다. 최종적으로 우리 청팀이 이기게 되었다. 기쁘고 슬프고 여러 감정이 들었다. 졸업하기 전에 운동회를 하게 되어 기분이 좋았다.   **김채윤**

긴장감 도는 운동회

10월 31일, 6학년 처음으로 운동회를 했다. 1,2,3교시는 1,2,3학년이 하고, 밥 먹고 4,5,6교시는 4,5,6학년이 운동회를 했다. 4학년, 5학년이 한 뒤에 6학년이 하는 식으로 돌아가면서 3번 했다. 6학년 처음 종목은 징검다리 건너기였다. 남자친구들이 훌라후프를 받아서 길을 깔아주면 여자친구들이 그 길을 건너면서 고깔 한 바퀴를 돌아 도착지로 오는 게임이다. 맨 처음에 출발하는 사람이 나와 루리여서 부담이 컸다. 남자애들이 정말 열심히 수고해 준 덕분에 청팀이 승리를 거뒀다. 첫 승이라서 기분이 좋았다.

두 번째 종목은 줄다리기이다. 적은 8반이었다. 8반에 힘 쎈 친구들이 앞에 와서 그런지 우리 반은 속수무책으로 끌려가서 졌다. 아쉬웠다. 상대가 너무 강했다. 절대로 우리가 약한 것이 아니었다. 다음에는 위치를 다르게 해서 줄다리기를 해봐야겠다.

세 번째 종목은 운명 달리기이다. 루리, 나. 채은이. 다해와 함께 뛰었다. 미션을 보고 제일 먼저 뛰어가서 "김동건 선생님"이라고 외쳤다. 왜냐? 미션은 바로 '잘생긴 선생님 3번 말하기'였는데 한 번 말하니 통과라고 바로 1등을 했다. 기분이 너무 좋았다.

마지막은 계주였다. 우리 반은 민지와 민성이가 대표로 나갔다.

확실히 빨랐다. 대단했다. 그래서 청팀이 이겼다. 계주하기 전까지 백팀의 점수가 앞서고 있었지만 계주는 청팀이 이겨서 청팀이 역전해 완벽한 승리를 거뒀다. 확실한 청팀의 승리여서 들뜬 마음에 정리도 열심히 한 것 같다. nice Happy~ 류지원

운동회!

　　　학교에 가니 정문 앞에는 현수막이 걸려 있고 운동장에는 천막이 있는 것이 정말 실감이 났다. 운동회 줄다리기 전략도 짜고 페이스 페인팅도 하면서 준비를 했고 선생님의 지시에 따라 운동회를 했다. 첫 번째는 징검다리, 역시나 우리 팀인 청팀이 이겼다. 그 다음 운명 달리기를 했고, 이건 레이스를 달릴 때 스태프가 들고 있는 스케치북에 있는 미션을 수행하고 끝까지 달리면 되는 간단한 것이었다. 내 미션은 정원초 최고를 3번 외치는 것이었다. 정확하게 하느라 시간이 지체되어 1등을 하지 못할까봐 "정초촉! 정초촉! 정초촉!" 이러면서 거의 랩을 했다. 그래도 통과를 받았고 전속력으로 달려서 1등을 얻게 되었다. 다음에는 줄다리기를 했다. 8반이랑 했는데 솔직히 너무 세서 거의 2초 만에 끝이 나며 줄다리기는 졌다. 그다음 이어달리기를 했다. 각반에 2명을 뽑아서 달리는 것이었는데 거의 올림픽 진출 마냥 응원을 했고 그리고 우리반 친구가 뛰게 되었을 땐 목이 찢어질 정도로 소리를 질렀고 응원을 열심히 했었어서! 청팀이 이겼다. 내가 뛴 것도 아닌데 왠지 계주들보다 2배 더 기쁜 느낌이었다. 애들과 박수치며 우승을 축하했다. 역시 응원한 보람이 있다. 문라희

신났던 체육대회

10월 31일 화요일, 우리 학교는 '체육대회'를 했다. 체육대회가 있기 한 달 전부터 들뜬 마음으로 친구들과 예쁘고 멋진 옷을 맞춰 입기 위해 많고 많은 이야기를 나누었지만 아쉽게도ㅠㅠ 각자 의견이 모이지 않아 정하지 못했다ㅠㅠ. 그래서 그냥 각자 옷을 입고 체육대회를 하기로 했다. 기다리고 기다리던 체육대회 당일! 체육대회를 신나게 할 생각에 들뜬 마음으로 학교에 등교했다.♥ 학교 정문으로 들어가자마자 보이는 건 학년들이 앉을 다양한 천막이었다! 그렇게 설레고 신나는 마음으로 반에 도착했다. 1교시에는 영화 감상평 발표를 했고 2,3교시에는 8반과의 줄다리기를 위한 전략을 짜고 연습을 했다. 연습을 하는 게 힘들었지만 그 또한 즐겁고 설레었다. 1,2,3학년들의 체육대회가 끝나고 드디어! 4,5,6학년들의 체육대회가 시작했다! 체육대회를 하러 가는 동안 말할 수 없을 설렘과 긴장감이 느껴졌다! 내가 앉아 있는 줄은 맨 앞자리라서 그런지 너무 더웠다. 그렇게 6학년들의 경기 순서를 기다리는 중. 6학년들의 첫 경기, 징검다리 건너기가 시작했다! 징검다리 건너기는 너무 재미있었다. 남자아이들이 고생하긴 했지만 이 게임은 우리 반이 제일 잘한 것 같아 내심 자랑스러웠다. 결과는 청팀이 승리! 우리 팀인 청팀이 첫 게임에서 승리하니 너무 좋았다. 6학년들의 두 번째 게임은 운명 달리기였다. 운명 달리기는 선생님이 보여주시는 지문을 읽고 지문에 맞게 행동하는 것이었다. 우리 팀의 문제는 제일 잘생긴 선생님 말하기였다. ㅋㅋ 제일 먼저 지원이가 미션 장소에 도착하고 김동건(우리 반 쌤)쌤을 불렀다. 두 번째로 도착한 나는 중복 선택을 하면 안 되는 줄 알고 6반쌤(최진국 쌤)을 불렀다ㅋㅋ. 그런데 뒤에 도착한 다해, 루리가 김동건 쌤을 불러서 당황했다ㅋㅋㅋ. 쌤 미안해요ㅋㅋㅋㅋ. 그렇게 운명 달리기는 끝나고 4,5학년들의 경기를 구경하다가 줄다리기를 할 순서가 되었다. 우리는 전략도 짜고 연습도 많이 해서 조금이라도 버틸 줄 알았는데ㅋㅋ 시작하자마자 우리 반은 8반에 물 흐르듯 끌려갔다ㅋㅋ. 마지막 경기는 운동회의 하이라이트! 바로 계주였다!! 우리 반에서는 민지, 민성이가 계주 선수로 뛰었다. 초반에는 백팀이 빨라서 걱정했는데 한턴, 두턴 지나니 우리 청팀이 역전하기 시작하더니 살짝 겹치는 부분만 빼면 그 후로 우리 청팀이 백팀을 앞질러 가는 것을 보니 뭔지 모를 희열감이 느껴지며 계주가 끝났다. 결과는 청팀이 승! 모든 계주 선수들 다 고생했고 민지, 민성이도 너무 멋졌다. 아무튼 이후에도 신나게 즐기고 체육대회는 끝이 났다♥. 박채은

청군 이겨라

10월 31일, 할로윈에 운동회를 했다. 1,2,3교시에는 1,2,3학년들이 운동회를 하고 4,5,6교시에는 4,5,6학년들이 운동회를 진행했다. 운동회의 흐름이 끊어지면 안 되니까 4교시에 먹었던 점심을 3교시에 먹어서 좋았다. 점심을 먹고 교실로 집합! 친구들과 놀다가 아슬아슬하게 시간에 맞추어 교실에 도착하였다. 운동장으로 가는데 너무 떨렸다. 그래도 우리 반이 이기고 우리 반이 속한 청군이 이기면 좋겠다라는 생각을 하자 불끈 힘이 솟아올랐

다. 4,5학년들의 경기가 이어졌고 드디어 우리 6학년 차례가 왔다. 우리의 순서는 징검다리 건너기인데 이 게임의 방법은 남학생들이 훌라후프를 놓으면 여학생 두 명이 짝을 지어 그 훌라후프 안을 지나가는데 경기가 한번 꼬이면 잘 풀리지 않는 게임이라 팀들 간 팀워크가 중요했다. 결과는...! 결국 우리 청군이 이겼다! 청군들은 환호했다. 내가 가장 기억에 남았던 건 4학년 청군들이 박수를 치며 청군 파이팅을 외친 것이다. 그래서 우리 청군이 이겼을 것이라고 조심스레 추측해본다. 나는 6학년 반들 중 우리 반이 가장 잘했다고 생각한다. 6학년이 두 번째로 나간 순서는 운명 달리기였는데 이 게임은 4명이서 각자 미션을 해결하고 먼저 결승선에 들어가는 사람 순서대로 순위가 정해지는 달리기이다. 오지 않았으면 했던 우리 차례가 오고 출발을 알리는 호루라기 소리와 함께 출발했다. 우리의 미션은 정원초 3번(5번?) 외치기였는데 달리기 하는 중간에 삐끗하여 미션에 선착순 2번째로 도착하였다. 결국 순위도 2위... 그래도 열심히 노력했고 다음에는 삐끗하지 않게 노력해야겠다는 다짐도 했다. 6학년의 마지막 차례는 영차영차 줄다리기이다. 운동회 하기 전 반에서 줄다리기 전략과 자리 배치를 했는데.. 그렇게 열심히 전략을 짰는데 우리 반이 8반에게 지고 말았다. 애들은 전략을 남자 한줄, 여자 한 줄이 아니라 골고루 섞어서 했어야 된다고 하는데, 내 생각에도 그게 맞는 것 같다. 8반, 너무 셌다. 시작한 지 3초도 안되어서 8반에게 끌려갔다. 순간 진짜 진짜 놀랐다. 쉽게 이길 줄 알았는데.. 그래도 잘했다고 서로서로 격려하고 자리로 돌아갔다. 진짜 마지막!! 우리 반에서 딱 2명만 나가는 릴레이 청백 계주! 이 계주에 승과 패, 희와 비가 걸려 있어서 손에 땀이 나도록 손을 꽉 쥐고 경기를 지켜보았다. 역전과 역전이 반복되어 청군이 앞서가 그대로 결승에 골인!! 우리 청군의 승이었다! 너무 기뻤고 마지막까지 잘 달려준 청군 계주자들에게도 박수를 보냈다. 6학년 마지막 운동회 너무 굿 잡~! 청군 잘했어!! **배수빈**

나의 첫 운동회

　　　　　우리가 그토록 기다리던 운동회를 했다. 팀은 청, 백팀으로 나눠졌는데 우리 반은 청팀이었다. 첫 번째 종목은 징검다리 건너기였다. 징검다리 건너기는 훌라후프를 건너는 종목이다. 여자애들이 훌라후프를 걸어가고 남자애들이 뒤에 빈 훌라후프를 들고 앞에 길을 만들어 주는 게임이다. 여자애들은 걷기만 하지만 남자애들은 자꾸 훌라후프를 갖고 뛰어야 해서 힘들어 보였지만 여자애들은 편했다. 결과는 청팀이 승리했다. 다음 종목은 줄다리기였다. 우리 반은 8반이랑 붙었는데 시작하자마자 끌려갔다. 우리 반은 영차에서 차 때 당기고 뒤에 애들은 무작정 당기기로 했는데 당길 틈도 없이 상대편이 세게 당겨서 끌려갔다. 좀 당황했지만 다음 팀이 이겨주길 바라며 기다렸지만 청팀이 져버렸다. 애들이 청팀 응원한다고 앞에 나가서 춤췄는데 나라면 창피해서 절대 못할 것 같다. 다음 종목은 운명 달리기였는데 이 종목은 선생님이 미션을 보여주면 그 미션을 수행하고 달리는 게임이다. 이 게임은 반끼리 붙는 게 아니고 반에서 4명끼리 붙는 것이다. 나는 루리, 채은, 지원이랑 붙었는데 미션이 제일 잘생긴 선생님 말하기여서 "김동건 쌤"이라고 외쳤다. ㅋㅋ 나는 4명 중 아마 3등 했던 것 같다. 그래도 꼴찌가 아니라 다행이었다. 다른 애들은 미션이 다 달랐는데 제일 웃겼던 미션은 교장 선생님께 절하기였다. 애들이 모래 위에서 절하는 모습이 너무 웃겼다. 이 외에 "자기 반 선생님과 안기", "교장 선생님한테 사랑한다고 하기" 등 많은 미션이 있었다. 제일 최악이었던 것은 엉덩이로 이름 쓰기였다. 이 미션이 아니어서 다행이었다. 마지막 종목은 계주였다. 우리 반에서 대표로 계주 뛰는 애들은 민지랑 남민성인데 걷기 시작했을 때 정말 아슬아슬했다. 결과는 청팀 승리였다! 정말 기뻤고 결과 합계를 해서 운동회는 청팀이 이겼다. 오늘 운동회는 기억에 많이 남을 것 같다!
이다해

하하! 호호! 우리들의 첫 운동회

우리 정원초등학교에서 하는 첫 운동회라 정말 설레었다. 운동회 전날 밤 나는 너무 설레 잠을 설쳤다. 드디어 운동회 날이 왔다. 나는 집에서 우리 학교 체육복을 입은 뒤 빨리 출발했다. 도착해서 친구들과 함께 운동회에 대한 이야기를 나누었다. 오전 1,2,3교시에는 저학년(1,2,3학년)들이 운동회를 하고 오후인 4,5,6교시에는 우리(4,5,6학년)가 하였다. 우리 반은 1,2,3교시에 운동회 전략을 짰다. 점심을 먹은 후 드디어 운동회가 시작되었다. 노래가 크게 틀어지고 텐트 같은 천막이 여러 개 처져 있었다. 너무 기대가 됐다. 1인당 생수 한 병을 주었다. 그날 햇볕이 너무 세서 뜨거워 불편했다. 4학년, 5학년들의 순서가 지나가고~~ 우리 차례가 왔다. 우리 종목은 징검다리 건너기, 줄다리기, 운명 달리기, 계주가 있었는데 징검다리 건너기를 하였다. 징검다리 건너기는 남자애들이 훌라후프로 길을 세워주면 여자애들 2명씩 건너는 규칙이다. 우리 반은 청팀이었는데 징검다리를 할 때 4,5학년들의 응원 소리가 들려 더욱 열심히 했다. 징검다리 건너기는 우리 청팀이 이겼다. 너무 기뻤다. 또 다른 학년의 차례가 지나간 후 우리 차례가 왔다. 바로 대망의 줄다리기였다. 우리 반은 백팀인 8반과 대결을 했다. 시작하자마자 나는 열심히 줄을 당겼지만 우리 반은 바로 끌려갔다ㅜㅜ. 너무 아쉬웠다. 하지만 열심히 한 것에 중점을 두기로 했다. 또 다른 학년 차례가 있을 때 응원하는 것도 너무 재미있었다. 또 힘들지만 재미있었다. 그 다음에는 운명 달리기라는 것을 했는데 운명 달리기는 미션을 수행하며 달리는 규칙의 달리기였다. 4명 중에 내가 4등을 했지만 즐거운 달리기였다, 운동회가 끝나 너무 아쉬웠다. 그래도 정말 재미있는 추억을 쌓은 것 같아 기뻤다. 중학교에 가서도 이렇게 즐거운 운동회를 할 수 있을 거라 생각하며 운동회는 끝났다. **이루리**

아~~주 재미있는 운동회

1~3학년은 1교시에서 3교시까지 했고 4~6학년은 4~6교시에 했다. 그래서 급식을 3교시에 먹어서 신기했다. 6학녀은 징검다리 건너기, 줄다리기, 운명 달리기를 했다. 나는 그 중에서 운명 달리기가 가장 재미있었다. 왜냐하면 달리기를 하며 미션을 하는 것이기 때문이었다. 나의 미션은 정원초

3번 말하기였는데 말하자마자 사회자 아저씨가 가라고 했다.ㅋ 그
래서 결과는 4등이다. 꼴찌이고 싶지 않지만 꼴등이다. 징검다리
건너기는 청팀이 이겼는데 두 팀 다 벌점 200점을 받았는데 이겼
는데 진 기분이었다. 그리고 줄다리기는 백팀이 이기고 청팀이 졌
다. 운동회가 끝나고 나서는 의자를 치웠는데 6학년만 의자를 강
당에 갖다 놓아서 좀 불공평하다고 생각했다. 그리고 교실에 올라
가서 가방을 가지고 내려와서 학원에 가니 2시 50분쯤이었다. 그
래도 재미있었다. 초등학교에서 하는 처음이자 마지막 운동회였다.
중학교에 가면 또 할 것이니 난 괜찮다. 채유민

3번째 운동회
                1,2학년 때 하던 운동회를 정말 오랜만에 하였다.
코로나가 터지고 4년 만에 하는 운동회는 나에게 정말 특별한 날
이었다. 특이하게 청팀, 백팀을 짝수, 홀수로 나누는 건 본 적 없지
만 밸런스도 잘 맞게 이루어졌다. 우리 반은 홀수이기 때문에 청팀
이 되었다. 1,2,3학년들 같은 저학년들은 1,2,3교시에 운동회를 하
였고 4,5,6학년 같은 고학년들은 4,5,6교시의 운동회를 하였다. 우
리 고학년들은 징검다리, 줄다리기, 운명 달리기, 계주 달리기를 하
였다. 처음에는 청팀이 이기다. 백팀이 역전하고 마지막 계주는 청
팀이 이겨서 청팀이 승리한 것이 되었다. 그때의 행복은 잊을 수가
없다. 중학교에서도 운동회가 있기를... 김민석

청팀의 승리인 운동회

나는 운동회를 이번에 처음 한다. 유치원 때도 해본 기억이 없다. 하지만 이번에 처음으로 운동회를 하게 되었고 우리 5반은 홀수여서 우리 반은 청팀이었다. 청팀에는 1반, 3반, 5반, 7반, 9반이 속해 있었고 백군에는 2반, 4반, 6반, 8반, 10반인 짝수 반이 있었다. 첫 번째 게임은 징검다리 건너기였다. 징검다리 건너기는 여자들이 훌라후프에 2명씩 함께 건너면서 훌라후프를 옮기는 게임이었다. 연습했을 때 잘 안되어서 불안했는데 실전에서는 잘 되어서 기분이 좋았다. 그렇게 빠르게 빠르게 진행해서 결국 청팀이 이겼다. 처음 게임은 청팀의 승리였다. 스코어 1:0이다. 그 다음 게임은 줄다리기였다. 처음은 2반이랑 3반이 먼저 하였다. 3반이 이길 줄 알았지만 2반이 이겨버렸다. 그렇게 백군이 첫 승리를 가져갔고 그다음은 9반이랑 6반이랑 하였는데 9반이 너무 쉽게 이겨버렸다. 1:1이다. 그리고 7반이랑 10반이 하였는데 7반이 이겨서 1:2이다. 그리고 우리 반과 8반과 하였는데 우리 반이 너무 쉽게 져버렸다. 2:2이고 마지막 1반과 4반, 1반이 져버려서 3:2로 백군이 1점을 가져가 1:1이 되었다. 그리고 대결이 아닌 운명 달리기를 하였다. 내가 아쉽게 2등을 하였다. 그리고 대망의 계주를 하였다. 이번 게임에서 이겨야지 우리 청팀의 승리가 확정되는 경기였다. 그렇게 각반의 계주 대표가 나오고 시작이 되었는데 우리가 더 빠르다가 잡힐 뻔 했지만 우리가 더 빨랐고 마지막 청팀 주자가 더 빨리 들어와서 우리의 승리였다. 나는 우리 반 계주 주자인 민성이를 껴안고 승리를 만끽했다. 나는 최고로 기분

이 좋게 영어 학원으로 향했다.　김민준

처음이자 마지막 운동회

　　　　　　　　우리 학교는 10월 31일에 운동회를 열었다. 1학년부터 체육대회를 하지 않아서 설렜지만 반대로 서럽기도 했다. 처음이자 마지막이라니... 1교시부터 3교시까지는 1학년부터 3학년, 저학년들의 운동회였다. 팀은 청팀과 백팀, 홀수가 청팀이었고 짝수가 백팀이었다. 2부가 시작되었을 때 4학년들의 개인 달리기가 있었다. 4학년 친구들이 달리면서 노래가 나왔는데 우리 반 여자애들이 나오더니 춤을 췄다... 여자애들이 춤추는데 내가 부끄러웠다. 개인 달리기가 끝나고 5학년들의 협력 공 튀기기, 4학년들의 김밥말이를 하고 드디어 6학년의 차례가 오고 징검다리 건너기를 했다. 징검다리 건너기는 남자친구들이 훌라후프를 놓고 여자친구들이 그 위로 건너가는 것이다. 그 경기는 청팀이 이겼다. 그 다음은 4학년들의 응원전 파도타기, 파도타기에서 황당한 일이 있어서 청팀, 백팀의 스코어 1대1 마지막에 청팀이 먼저 들어왔지만 백팀이 이겼다고 했다. 청팀 6학년 친구들이 와서 항의했지만 소용없었다. 그 다음은 6학년의 운명 달리기이다. 개인적으로 운명 달리기가 가장 재미있었다. 내가 달릴 때 훌라후프 다섯 번 돌리기였다. 훌라후프를 유독 못했던 나는 망설였다가 결국 했는데 되긴 되었다. 태우한테 추월을 당해서 전력질주로 달려서 비슷했는데 1위인지 2위인지 모르겠다. 다음은 5학년의 소용돌이 릴레이였고 다음으로 6학년 줄다리기였다. 상대가 8반이어서 절망했다. 그 전에 6학년 친구들이 할 때 반전이 많아서 기대해 보았지만 시작하자마자 끌려갔다. 그래서 청팀과 백팀이 50점 차이로 백팀이 앞섰다. 마지막인 청백 계주, 반을 대표하는 친구들이 나와 계주를 했다. 우리 반은 민성이! 전반에는 밀렸지만 후반으로 갈수록 우리가 빨랐다. 마지막 주자 현겸이(9반)가 달렸다. 마지막인 만큼 모두가 응원했다. 달리고 마침내 청팀 마지막 주자가 먼저 도착했다. 청팀 친구들은 모두 달려 나갔고 나는 민성이를 업고 달렸다. 그래서 청팀은 짜릿한 역전승을 했다. 처음에는 질 줄 알았지만 응원 때문인건가 하고 이겼다. 처음이자 마지막이었지만 멋지고 짜릿한 운동회였다. 김정주

어울림 한마당

　　　　　　10월 마지막 날에 우리 학교에 운동회가 있었다. 6학년은 징검다리 건너기, 줄다리기, 운명 달리기, 계주 총 네 게임을 했다. 가장 처음으로 한 게임은 징검다리 건너기였다. 이 게임은 무려 정관에 있었던 전통 놀이를 바탕으로 만들어졌다고 한다. 이 게임은 우리 반이 전략을 잘 짠 덕에 청팀이 이길 수 있었다. 두 번째 게임은 줄다리기였다. 이 게임은 선생님이 진심으로 전략을 잘 짠 덕에 이길 줄 알았지만, 인원과 힘 차이로 시작하자마자 상대편 쪽으로 끌려가 완벽하게 졌다. 분명히 전략은 완벽했는데 시작하자마자 끌려가서 놀랐다. 그렇게 줄다리기는 청팀이 졌다. 세 번째 게임은 운명 달리기였다. 이 게임은 50미터 거리를 주어진 미션을 하여 먼저 도착하는 사람이 이기는 게임이다. 원래는

4명씩 나누어 진행을 하지만 1명이 다리가 아파 뛰지 못해 3명이서 진행했다. 나는 빠르게 달렸지만 정주가 앞질러 갔다. 미션이 훌라후프 5번이었는데 내가 훌라후프를 더 잘해서 기적적으로 1등을 했다. 그 덕에 친구들이랑 부모님에게 몇 번이고 자랑할 수 있었다. 마지막은 각 반 대표가 나와서 이어달리기(계주)를 했다. 이때 사람들의 걸음걸이랑 속도가 거의 똑같아서 놀랐다. 어쨌든 여기서 청팀이 이겨서 결과적으로는 청팀이 이겼다. 참 재미있는 하루였다. 김태우

첫 운동회

운동회를 하고 느낀 점은 일단 떨렸고 줄다리기를 8반한테 졌지만 재밌었고 5학년 장애물 달리기를 할 때 넘어진 애들이 웃겼다. 징검다리 건너기를 할 때는 떨렸다. 그리고 계주를 할 때는 엄청 떨렸다. 릴레이인데 다음 차례가 나일 때 엄청 떨렸다. 엄청 빨리 달리고 했는데 아무튼 이겼다. 그래서 좋았다. 줄다리기는 체급 차이 때문에 진 것 같다. 만약 우리 반이 체급하고 힘이 좋았으면 이겼을 수도 있을 것 같다. 그리고 많이 더웠다. 처음으로 하는 운동회여서 좋았다. 운동회를 또 하고 싶다. 줄다리기를 이겼으면 좋았는데 8반에 힘이 세서 애들이 끌려간 것 같다. 이길 수 있을 것 같았는데 생각보다 잘해서 당황했다. 그래도 청팀이 이겨서 좋았다. 계주를 뛸 때 영웅이한테 따라 잡힐 뻔했지만 이겼다. 영웅이한테 질 줄 알았는데 생각과 다르게 이긴 것 같다. 내 앞에 애들이 잘 뛰어준 것 같고 잘해줬다. 뒤에 애들도 정말 잘

띈 것 같았다. 따라 잡힐 것 같았는데 안 잡히고 이겨서 정말 좋다. 남민성

1초 만에 졌던 줄다리기

10월 31일에 운동회를 했다. 먼저 우리는 징검다리 건너기를 했다. 남자들이 훌라후프로 징검다리를 만들고 여자들이 그걸 건너는 남녀 협동 게임이다. 청팀이 협동심이 좋아서 이겼다. 근데 몇몇 애들이 앞으로 나가 야유를 해서 두 팀 다 감점이 됐다... 두 번째로는 줄다리기를 했는데 우리 반이 목장갑 작전을 세웠지만 다른 반도 전부 목장갑을 끼고 나와서 당황스러웠다. 우리 반은 8반이랑 붙었는데 8반에 생각보다 덩치가 많아서 시작한 지 1초 만에 졌다. 그리고 백팀에 덩치가 더 많았어서 줄다리기는 백팀이 이겼다. 마지막으로 운명 달리기를 했다. 나는 규하, 민석, 민준이랑 같이 뛰었는데 내가 꼴찌했다. 나는 체육과 잘 안 맞나 보다. 마지막으로 청백 계주를 했는데 우리 반에서는 민성이와 민지가 나갔다. 청팀이 10초 차이로 이겼다. 우리 모두 환호했다. 마무리로 댄스 타임을 즐긴 후에 즐거운 마음으로 집에 갔다. 박성준

굉장한 운동회

나의 초등학교 첫 운동회여서 떨리고 긴장이 되었다. 3교시 끝나고 밥을 먹으러 가서 나는 점심시간에 최대한 움직이지 않고 몸을 아껴 두었다. 4,5,6학년의 운동회는 점심시간에 시

작하였다. 다른 아이들은 옷을 맞춰서 와서 중학교에서는 꼭 반 티를 맞추고 싶다는 생각이 들었다. 운동회에는 그냥 최진국 선생님이 진행하실 줄 알았는데 mc가 와서 우리 정원초가 많이 좋아졌다는 걸 알게 되었다. 순서는 4,5,6학년이 먼저 하고 4학년은 달리기를 하였고 5학년은 공튀기기를 하였고 6학년은 징검다리 건너기를 하였다. 두 번째로 4학년은 김밥말이를 하였고 5학년은 장애물 달리기를 하였고 6학년은 줄다리기를 하였다. 세 번째도 4학년은 파도타기, 5학년은 소용돌이 릴레이 6학년은 운명 달리기를 하였다. 첫 번째인 징검다리 건너기를 할 때 남자들은 훌라후프를 만들어서 나름 재미있었다. 두 번째 줄다리기는 우리 반이 8반한테도 지고 청군이 백군한테도 져서 아쉬웠다. 다음에는 팔 힘을 더 기를 것이다. 첫 운동회를 해보니 운동회가 이렇게 재미있을 것이라고는 미처 생각하지 못했다. 중학교에 가서도 우리 반, 우리 팀이 이겼으면 좋겠다. 배성제

운동회 후기

우리 학교는 어제 운동회를 했다. 운동회에서 종목은 줄다리기, 운명 달리기, 징검다리 건너기, 계주가 있었다. 4,5학년도 우리와 같이 했다. 4,5학년에서는 청군이 더 많은 종목을 이긴 것 같았다. 6학년 종목인 징검다리 건너기에서는 청군이 이겼고 줄다리기에서는 백군이 더 많이 승리했다. 우리 반은 8반과 줄다리기를 했는데 우리 반이 시작하자마자 8반에게 끌려갔다. 줄다리기가 시작하자마자 끌려가서 너무나도 허무하게 8반에 패배해

버린 것 같다. 하지만 다른 반들이 잘해주어서 줄다리기와 다른 종목도 청군이 더 많이 이겼다. 다음번에 줄다리기를 다시 한다면 대충하지 않고 열심히 할 것이다. 그리고 우리가 줄다리기에서 진 이유에는 남녀를 한줄 한줄씩 배치하고 제대로 하지 않은 사람이 있는 것 등의 이유가 있는 것 같다. 마지막으로 계주에서는 우리 반에서 민성이와 민지가 나갔다. 계주에서는 청군이 백군보다 우월하게 달리고 있었다. 중간에 한 번 추월당하긴 했지만 청군이 백군을 이겼다. 이번 운동회에서는 결과적으로 청군이 백군을 이겼다. 하지만 날씨가 너무 더웠고 모래가 많이 날려 재미있지만은 않았다. 조금 아쉬웠지만 마지막에는 결국 이겨서 좋았다. **이규하**

운동회

10월 31일, 나는 학교에 가서 의자를 들고 그늘막에 놔두었다. 1~3학년이 할 동안 놀았던 것 같고 5,6교시에 했는데 별로 재미없었던 것 같다... 그래도 우리가 이겼지만, 재미가 없어서 아쉬웠다. **이도윤**

처음 하는 운동회

운동회를 처음 했다. 처음 해서 떨렸다. 운동회를 처음 해보니 힘들고 재미있었다. 재미있었던 점은 줄다리기가 졌지만 그래도 계주 달리기를 이겨서 기분 좋았다. 급식도 맛있었고 징검다리 건너기도 재미있었고 친구들과 응원하는 것도 재미있었다. 오랜만에 친구들과 놀아서 재밌고 신이 났다. 그리고 청팀이 이겼을 때 정말 신이 났다. 다음에는 더 길게 많은 종목을 하고 싶다. 다음 체육 대회가 기대된다. **이동건**

청 팀의 우승

　　　　　　10월 31일 어느 날 우리 학교는 운동회를 한다. 우리 6학년은 점심을 먹고 12:00쯤 했다. 운동회 중 가장 기억에 남는 것을 골라보겠다. 첫 번째는 6학년의 미션 달리기이다. 이게 기억에 남는 이유는 바로 신기하고 재미있는 미션이 많이 나와서 이다. 예를 들면 교장 선생님한테 절하기, 교장 선생님한테 사랑한 다고 하기, 5초 동안 새 흉내내기이다. 두 번째는 4학년인지 5학년 인지 파도타기이다. 청팀과 백팀이 했는데 청팀이 아슬아슬하게 이 겼다. 그다음인 세 번째는 5학년들의 계주이다. 이것은 처음에는 백팀이 앞섰지만 청팀이 백팀을 제치고 우승을 하였다. 그리고 마 지막으로 줄다리기이다. 줄다리기는 비록 졌지만 재미있었다. 그리 고 진짜 마지막으로 댄스 배틀이었다. 노래에 맞추어 댄스를 구경 하니 재미있었다. 처음에는 더웠지만 청팀이 우승하고 있는 것을 보고 힘이 났다. 근데 줄다리기에서 우리 청팀이 백팀에게 져서 아 쉬웠다. 하지만 우리 청팀이 이겨서 기분이 좋다. **이혁진**

운동회 날

　　　　　　학교에 와서 1교시에는 그대들은 어떻게 살 것인가에 대해 이야기를 했다. 그리고 2교시에 줄다리기 대형을 짜고 연습 을 했다. 2교시에는 밖에 나가서 징검다리 건너기 대형을 짜고 연습을 했다. 그리고 점심을 먹었다. 맛있었다. 4교시에 운동회를 시작했다. 6학년들은 징검다리 건너기를 했다. 다들 너무 잘했다. 그래서 청팀이 이겼다. 그리고 두 번째 경기 줄다리기는 아쉽게도 우리 반이랑 8반이랑 붙었는데 우리 반이 졌다. 줄다리기는 백팀이 이겼다. 너무 아쉬웠다. 그다음 세 번째 경기는 운명 달리기를 했다. 재밌었다. 그리고 대망의 계주. 우리 반은 민지랑 민성이가 대표로 나갔다. 민지랑 민성이 둘 다 너무 잘 뛰어서 청팀이 우승했다. 너무 기뻤다. 다음에도 하고 싶다. **정준혁**

미래의 나, 운동회

미션 달리기를 했을 때 너무 재미있었고 친구들의 달리기가 정말 빨랐다. 운동회를 끝나고 4학년 애들이 앞에 나와서 줄넘기를 성공해서 우리 반 애들이랑 6학년 전체가 다 뛰어나와서 수~를 했다. 운동회는 진짜 재미있는 경험이었다. **지인환**

10

졸업식 날
하고 싶은 것

졸업 계획

　　1월 12일, 우리의 졸업이다. 뭔가 지금으로써는 얼떨떨하다. '종업'과 '졸업'이 주는 느낌은 사뭇 다르다. 아침에 일어나서 항상 같은 길을 걷고, 같은 친구들, 선생님을 만나는 일상의 패턴이 180도 바뀌게 된다는 게 슬프다. 그래서 나는 졸업식 날 그때 그대로, 항상 이어지는 패턴을 또 한번 이어가고 싶다. 친구들과 마지막으로 신나게 놀고, 선생님께 하고픈 말 다 하고, 우리 학교에게도 마지막 인사를 건네는 게 내 계획이다. 그런데 이조차도 할 수 있을까 걱정이다. '울다 말도 못하고 끝나면 어쩌지', '안 우는 게 이상할까?' 등등 걱정이 많지만 왠지 졸업이 기다려진다. 권채원

망했다.

　　솔직히 졸업식 날 안 운다고 허세 부리긴 했지만 그냥 말하면 펑펑 울 것 같긴 하다. 그리고 졸업식은 1교시부터 3교시까지 밖에 안 한다는데 솔직히 그건 좋다. 그리고 5학년 때 선생님 전화번호를 얻고 졸업 핑계로 학원을 빠질 것이다. 그리고 친구들이랑 마지막으로 하고 싶었던 말을 속 시원하게 다 말할 것이다. 그리고 '안녕은 영원한 헤어짐은 아니겠지요.' 부를거다. 선생님 머리도 내가 직접 바리깡으로 밀어드릴 것이다. 그리고 애들이 날 주인공처럼 대접을 해주면 좋겠다. 그리고 애들에게 인생 조언을 해줄 것이다. 김나영

나의 슬기로운 마지막 6학년 생활

일단 먼저 4학년, 3학년, 5학년, 우리 6학년 쌤한테 감사 인사를 하고 싶습니다. 두 번째로 저의 친구들한테 진짜 진짜 찐한 포옹을 하고 싶습니다. 세 번째로 무조건 선생님과 친구들 전화번호를 따고 울고 싶습니다. 네 번째 롤링페이퍼 돌릴 거예요. 선생님한테. **김민지**

행복했던 1년

행복했던 1년이 지나고 졸업식이 다 되어 간다... 내가 졸업식 날 하고 싶은 일은 다 같이 운동장에 모여 다 같이 누워서 그동안 있었던 일을 생각하는 것이다. 왜냐하면 그동안 있었던 일들을 생각하는 것만으로도 행복하기 때문이다. **김지후**

졸킷리스트

나는 졸업식 날 하고 싶은 일이 매우 많다. 첫 번째, 파자마 파티이다. 늘 친구들과 파자마를 하고 싶었는데 이번 기회에 하고 싶다. 파자마 할 때는 수빈이와 지원이와 자고 싶다. 먹을 음식은 치킨!! 디저트는 핫도그와 샌드위치이다. 두 번째는 다 같이 놀러 가는 것이다. 장소는 에버랜드이다. 가서 푸바오도 보고 싶고 놀이기구도 타고 싶다. 졸업을 하고 이 졸킷리스트를 이루고 싶다. **김채윤**

졸업 버킷리스트

1. 나는 졸업식 날 예쁜 포즈로 예쁜 단체 사진을 찍고 싶다. 왜냐하면 졸업앨범에 있는 단체 사진은 자르기 아깝기 때문이다. 찍은 사진은 방에 걸어두고 간직할 것이다.

2. 선생님과 친구들과 선물 교환을 하고 싶다. 왜냐하면 좋은 추억과 신나는 추억을 만들고 싶기 때문이다.

3. 마지막으로 친구들과 선생님과 롤링페이퍼를 쓰고 마무리하면 좋겠다. 왜냐하면 마지막 6학년까지 행복하게 마무리하고 싶기 때문이다. **류지원**

마지막 날

첫 번째로는 애들과 다 같이 만나서 학교에 등교한 뒤, 졸업식 날 행복하게 시작하고 싶다. 사실 졸업식 날 완전 바쁠 것 같은데 만약 하고 싶은 거 할 수 있는 시간이 있으면 두 번째로 학교를 다 돌아다니며 안 가봤던 데를 가보고 싶다. 사실 학교 다 둘러볼 거 다 봐서 뭘 더 둘러보아야 할지 약간 의문이 들긴 하지만 그래도, 안 가본데 있으면 가보고 싶다. 세 번째는 쌤이랑 전화번호도 교환하고 싶다. 만약에 동창회를 하게 될 수도 있으니. 아, 다른 애들 전번도 따고 해야겠다. 미래의 동창회를 위해! 네 번째는 애들 우는 거 사진 찍고 싶다. 나는 울고 싶다... 졸업식 때는 나는 울고 싶은데 애들은 막 안 운다고 하던데, 다 안다. 애들 졸업식 날 울 거ㅋㅋㅋ 학교에서 안 울면 집에서 울겠징...ㅋㅋ 암튼 애들 우는 거 찍어서 단톡에 뿌려야겠다. **문라희**

손꼽아 기다려지지 않는 졸업식

졸업식 날은 사실 내가 제일 싫어하는 날 중 하나이다. 왜냐하면 아직 나에겐 '졸업'이라는 단어가 익숙치 않아서 그런지 거부감이 들기도 하면서 6년 동안 지내왔던 학교를 떠난다는 게 두렵기도 하고 중학교와 초등학교의 차이점들도 많아 힘들 것이라는 생각도 들기 때문이다. 하지만 초등학교 졸업식은 인생에 딱 한 번뿐인 날이기 때문에 하고 싶은 것도 많다. 학원은 째고 싶지만 엄마는 안 된다고 할 게 뻔하다. 그래도 3교시에 마치니 괜찮다. 만약 학원을 뺄 수 있다면 내가 좋아하는 친구들과 놀고 싶다. 학원을 못 쨀 수도 있지만 엄마가 졸업하면 실컷 놀아라고 했기 때문에 당일 날만이 아니더라도 주말에는 실컷 놀 것이다. **박채은**

졸업

내가 졸업을 하게 된다면, 아니 졸업을 하면 나는 매우 슬플 것이다. 왜냐하면 이제 못 보는 친구들도 있고, 친구들과 보낼 수 있는 마지막 기회가 될 수도 있기 때문이다. 졸업을 하는 것은 설레기도 하지만 슬플 것이라서 그날을 매우 알차게 보내고 싶다. 친구들과 밤새도록 놀고 하고 싶은 것, 먹고 싶은 것, 보고 싶은 것, 다하고 다 먹고 다 놀 것이다. **배수빈**

마지막이자 새로운 시작

내가 졸업식 날 하고 싶은 일은 우리

반 친구들과 함께 밥을 먹고 놀이공원에 가는 것이다. 그리고 선생님은 우리 1학년 때 사진을 다 갖고 있어서 그 사진을 다 같이 보고 싶다. 내 반이었던 1~6학년 선생님들 중 아직 이 학교에서 일하고 계신 선생님을 보러 가고 싶다. 마지막으로 롤링페이퍼를 쓰고 단체 사진을 찍을 것이다. 졸업식이 끝나고 집에서 편하게 쉴 것이다. **이다해**

Happy Ending

나는 1월 12일 졸업식 날 아침 6시에 일어나 설레는 마음을 가라앉히고 예쁜 옷을 입고 가방을 메고 하교에 나설 것이다. 졸업식이 한 달 정도 남았지만 사실 아직도 내가 중학생이 된다는 것이 실감이 안 난다. 내가 초등학교에 입학한 게 엊그제 같은데 벌써 내가 중학생이라니! 나는 졸업식을 할 때 졸업식 하는 내내 울 것 같다ㅜㅜ. 나는 졸업장을 받을 때 정말 기분이 슬프기도 하고 앞으로의 내 중학교 생활이 기대되며 온갖 감정들이 한 순간 스쳐 지나갈 것 같다. 또 내가 초등학교에서 겪었던 재밌었던 일, 많은 재미있는 추억들이 생각날 것 같다. 이런 졸업식 날에 나는 친구들과 함께 롤링페이퍼도 적고 친구들과 함께 맛있는 음식을 먹고 싶다. 또 졸업식을 끝낸 후 친구들과 밤새도록 놀고 싶다. 나는 졸업식 날에 이렇게 해피 엔딩으로 끝내고 싶다. 내가 원하는 대로 될지는 모르겠지만... 지금의 나는 미래의 나에게 묻고 싶다. "너가 원하는 대로 졸업식이 해피엔딩으로 끝났니?" **이루리**

졸업식

내가 졸업식에 제일 처음 하고 싶은 일은 애들 1학년 때 얼굴 보기이다. 그리고 애들이랑 계속 하루 종일 놀기이다. 하루 종일 논다면 밥 먹고 놀고 또 놀고 하루 종일 놀 것이다. 학원도 다 빠지고 내가 하고 싶은 것만 하면서 놀고 싶다. **채유민**

졸업식 날

선생님과 친구들과 마라탕집에 가서 5단계 도전하고 싶고, 선물 나누기 그리고 7시까지 노래방 쌤이 쏘고 저녁까지 쌤이 쏘고 마지막에는 영화 보러 갔다가 "이번 6학년 초등학교 졸업 축하해!!!"하고 모두 함께 외치며 헤어지고 싶습니다. **김민석**

졸업식 날 하고 싶은 것

나는 애들과 함께 배달 음식을 먹고 싶다. 그래서 나는 애들과 함께 맛있는 음식을 먹으며 재밌는 이야기를 하면서 마지막 6학년 이야기를 하고 싶다. 그리고 다 먹은 뒤 애들과 홈플러스에 가서 카트 타고 직원들 몰래 카트라이더 현실판을 하고 싶다. 6학년 생활이 끝나면 좋겠다. **김민준**

졸업식 날 하고 싶은 일

내가 졸업식 날 하고 싶은 일은 친구들과 왕창 놀기입니다. 친구들 한 30명 모아서 축구하고 코노하고 밥 먹고 아침부터 밤까지 친구들이랑 해운대까지 가서 점심을 먹고 저녁을 먹고 밤새도록 놀면서 8시 되면 학교에 가서 있을까 싶은 선생님을 뵈어서 감사하다고 말하고 친구들끼리 롤링페이퍼를 쓰면서 10시가 되어서 집에 들어올 것이다. **김정주**

행운의 편지

　　　　졸업식 날에는 친구들과 선생님들(우리 반과 6반)에게 행운의 편지를 돌리고 싶다.(이 편지는 영국에서 시작되어 어쩌구 저쩌구) 또한 선생님에게 엄청난 무언가를 줄 것이다. 지금은 비밀. 그리고 선생님 전화번호를 받으면 선생님의 카톡 프사를 확인하고 싶다. (규카츠 먹고 싶다.) **김태우**

마지막 초등학교

　　　　졸업식 날 하고 싶은 것은 애들이랑 스턴트 스쿠터를 타고 놀고 롯데월드를 가고 파크장도 갈 것이다. 친구 집에서 파자마 파티를 한다면 가서 자고 다음 날 학교에 가서 마지막 정원초등학교를 보고 애들이랑 다시 놀고 싶다. 우리 반 애들이랑 밥을 먹고 놀기도 하고 6-5반을 한 번 더 가서 교실에서도 놀고 각자 집으로 갈 것이다. **남민성**

마지막 파티

　　　　나는 졸업식에 우리 반 친구들을 모두 우리 집에 초대하고 같이 파티를 할 것이다. 왜냐하면 초등학교 6년 동안 파티 같은 곳에 간 적이 없기 때문이다. 파티에서 먼저 선물 교환을 할 것이다. 편지도 괜찮고 같이 선물을 주고받으면서 즐거운 시간을 보낼 것이다. 다음으로 각자 잠옷을 가져오라고 한 다음에 파자마 파티를 할 것이다. 거기서 베개 싸움도 하고 게임도 하면서 재미있게 놀 것이다. 그리고 우리 반 모두 롤링 페이퍼를 쓸 것이다. 롤링페이퍼는 집에 가져가도 된다. 마지막으로 단체 사진을 찍고 모두에게 나누어 준 후에 전화번호를 교환하고 헤어질 것이다. 정말 멋진 추억이 될 것이다. 박성준

나의 라스트 초딩

나는 2024년 1월 12일에 정원초등학교 10회 졸업생이 된다. 그래서 내가 졸업식 때 하고 싶은 것은 이젠 안녕 떼창을 부르는 것이다. 선생님께서도 이젠 안녕을 불러주시면 나의 첫 졸업식이 완벽해질 것 같다. 그리고 집에 나 혼자니깐 짜장면, 탕수육 세트를 시키면서 태권 한류랑 버니버니를 보면서 먹고 집에서 발로란트를 하고 발로란트가 끝나면 낮잠을 자고 일어나서 저녁을 먹고 밤을 셀 것이다. 배성제

빈둥거리며 보낼 졸업식

내가 졸업식 날 하고 싶은 일은 학교에서는 그냥 애들이랑 작별 인사하고 졸업식하고 밖에서 좀 놀 것이다. 그리고 집 가서는 과자 먹으면서 게임하고 넷플릭스로 애니메이션도 보면서 빈둥거리며 시간을 보낼 것이다. 마지막으로 친구들이랑 전화하면서 침대에 누워있을 것이다. 곧 졸업을 하게 되니 기

분이 좋다. 이규하

졸업식 날 하고 싶은 것

졸업식이 끝나고 난 다음. 친구들에게 고맙다고 이야기하고 전화번호를 교환할 것이다. 그리고 선생님께 식사를 꼭 사드리고 싶다. 그리고 1년 동안 정말 감사했다고 이야기할 것이다. 그리고 학원을 다 빠지고 하루 종일 놀고 끝낼 것이다. 이도윤

친구와 놀기

졸업식이 끝나자마자 친구와 함께 축구를 하고 놀다가 5학년 때 선생님에게 가서 전화번호를 받고 해운대에 가서 놀다가 정주와 피파를 하고 친구들과 함께 점심을 먹고, 저녁을 먹고 놀고 싶다. 이동건

학교에 가기 싫어요

내가 졸업식 날 하고 싶은 것은 학교를 안 가고 집에서 형들 컴퓨터로 게임을 하고 싶다. 왜냐하면 학교가 가기 싫다. 학교는 좋은데 학교까지 오는 것이 귀찮다. 그래서 그냥 집에서 놀고 쉬고 싶다. 이혁진

졸업식 날 하고 싶은 일

졸업식 날에 하고 싶은 일은 바로 이때

까지 찍은 사진 돌려보기이다. 우리 수학여행 갔을 때와 친구 데이, 영화 만들기, 부산 글로벌 빌리지에 갔을 때 찍은 사진이나 평소 공부를 하며 찍은 사진들을 보면서 재미있는 기억과 추억을 회상하고 싶기 때문이다. 그리고 친구들과 다 같이 자전거를 타고 싶다. 그리고 소고기를 먹고 다시 친구들과 놀고 싶다. **정준혁**

졸업

중학교에 가면 교실에서 친구를 만나고 싶다. 중학교 선생님이 예뻤으면 좋겠다. 중학교 급식이 맛있었으면 좋겠다. 중학교에 착한 애들이 있었으면 좋겠다. 중학교에서 캠프를 매일 갔으면 좋겠다. 중학교에서 수업을 안 하고 치킨을 먹었으면 좋겠다. 중학교에서 나는 수업을 땡땡이치고 놀고 싶다. 중학교에서 6학년 반 친구들이랑 반지를 만들고 파자마 파티를 선생님 집에서 하고 싶다. 선생님 집에서 살고 싶다. 중학교에서 슬릭백 전공을 할 것이다. 중학교에서 피구 대회를 하고 싶다. 중학교에서 축구 대회를 하고 싶다. 중학교 운동장이 잔디였으면 좋겠다. 학교 회장이 되었으면 좋겠다. 학교에서 마라탕을 먹었으면 좋겠다. 친구들이랑 PC방에 갔으면 좋겠다. **지인환**

11

이 책을 쓰며
느낀 점

6학년의 기록

몇 년 후, 이 글을 본 나는 어떨까? 오글거려서 못 읽을 것 같다. 이 글은 아마 6학년의 나를 보여준 최고의 기록이 될 것 같다. 글을 쓰고, 나누고, 수정하면서 글 쓰는 실력도 나날이 늘었다. 그리고 무엇보다 우리 반 친구들의 가치관과 생각을 공유하고 이해하는 그 과정이 너무나 특별했다. 제발 너무나 즐거웠던 그날들의 기억이 남아있길 바라며 글, 아니 나의 기록을 마친다. 안녕! **권채원**

힘들었다.

내가 출판 기획팀이어서 수요일마다 회의하고 아이디어 짜서 더 힘들었다. 하지만 애들은 내 고생을 모르는 것 같다. 어쨌든 힘들었다. **김나영**

책을 쓰며 나의 느낌이나 깨달음.

저는 이 책을 쓰며 책을 쓰는 것이 이렇게 힘들 줄은 몰랐습니다. 또 인내심이 있어야 하고 꺾이지 않는 마음이 있어야 합니다. 그리고 많이 힘들고 하기 싫어서 어찌어찌했는데 그래도 생각보다 잘 되어서 좋았습니다. **김민지**

행복했던 글쓰기

어느덧 글쓰기가 마지막인 날이다. 글쓰기를 하면서 느낀 점도 많고, 배운 점도 많았다. 그중 느낀 점은 행복했다는 것이다. 나는 글 쓰는 것을 싫어했다. 그치만 글을 쓰는 것이 점점 좋아졌다. 어느 순간부터 글 쓰는 것이 행복해졌다. 글 쓰는 게 이렇게 행복한데 나는 왜 몰랐을까? 이제라도 글을 많이 쓰는 것이 좋겠다. **김지후**

사회에 한 발짝

나는 이 책을 쓰기 전까지는 작가가 될 생각이 없었다. 그러다가 출판 기획팀이 되자 작가가 되고 싶어졌다. 왠지 작가가 된다면 사회에서 더 나갈 수 있을 것 같다. **김채윤**

행복

책을 읽고 따라 써보기도 했지만, 책을 써본 건 처음인 것 같다. 기분이 묘하다. 이 책을 미래의 나에게 보여주면 신기할 것 같다. 내 동생도 이런 책을 써 봤으면 좋겠다. 좋은 추억이 될 것 같다♥. **류지원**

두려운디?

처음에 그냥 선생님의 버킷리스트(?)라고 해서 우선 도전해 보자는 마음으로 시작했는데 생각 외로 이 계기를 통해 나에 대해 잘 알게 된 것 같다. 솔직하게 말해보자면 원래부터 책 읽는 것을 정말 싫어했어서 내가 책을 쓴다는 것은 상상도 할 수 없었다. 그런데 의외로 책을 쓰면서 꽤나 재미있었어서 한 번쯤 하기에 딱 좋은 그런 경험이었던 것 같다. **문라희**

발견

　　이 책을 쓰기 전까진 내가 나에 대해 5줄 이상 쓸 수 있을지 몰랐는데 10줄, 20줄씩 길게 써내려 간 글이 생기면서 내가 이런 능력이 있는지 처음 깨달았다. 사실 글을 적는 게 귀찮았지만 글을 적을수록 내가 이런 생각을 가지고 있다는 것을 확실히 알게 되어 좋았다. 아이들이 쓴 글을 듣는 것도 재미있었다. 후에 내가 이 글을 봤을 때 "왜 이렇게 썼지?"라는 생각이 들 수 있겠지만 현재의 나는 내가 쓴 글에 만족한다.　**박채은**

:)

　이 책을 쓰면서 힘든 점도 즐거운 점도 많았다. 글을 쓰다가 그만 쓰고 싶다는 생각이 든 게 한두 번이 아니었다. 그렇지만 이렇게 소감을 적을 수 있었던 이유는 같이 쓰는 친구들과 선생님이 계셨기 때문이다. 나중에 내가 어른이 되어서 이 글을, 이 책을 보면 이 책을 썼던 나를 매우 대단하게 여길 것 같다. 이 글을 마치면 6-5반 책을 적을 수 있는 기회도 끝나는 것이다. 그렇지만 내 머릿속에는 6-5반에서 글을 썼던 경험이 영원히 남아있을 것이다. **배수빈**

새로운 경험

　　　　내가 이 책을 처음 쓸 때는 뭔가 재미있었는데 쓸수록 머리에 생각이 안 나서 쓰기 어려웠다. 하지만 이 글이 담긴 책이 출판된다고 하니 대충 적을 수가 없었다. 책이 어떻게 나올지

도 궁금하고 우리 반 애들이 쓴 글도 궁금해서 얼른 출판된 책을 보고 싶다!! **이다해**

우리들의 추억

　　　　나는 이 책이 우리들의 추억을 담은 한 편의 영화라고 생각한다. 왜냐. 이 책에는 우리들이 했던 경험, 생각들이 모두 담겨있기 때문이다. 나는 이 책을 좋은 추억으로 간직하고 싶다. 나는 이 책을 쓰며 내적으로 많이 발전한 것 같다. 이렇게 글을 쓰며 생각을 많이 하게 되었기 때문이다. 또 이 책을 쓰며 나의 글쓰기 실력이 많이 향상된 것 같다. 우리는 이 책, 즉 우리들의 영화 한 편을 가지고 앞으로도 멋진 세상을 향해 달려갈 것이다! 모두 파이팅! **이루리**

마지막처럼 글쓰기

　　　　내가 이 글을 처음 쓸 때는 좀 재미없고 지루했는데 계속하니 처음보단 많이 재밌어졌다. 책 출판이 어떻게 되는지도 궁금하다. 근데 글쓰기의 단점이 내용을 쓰면 쓸수록 쓸 내용이, 적을 것이 없다는 것이다. 그리고 장점은 재미있다. **채유민**

이 활동을 하며 느낀 점

　　　　이 활동을 하며 친구들과 나의 생각을 자유롭게 이야기하고 토론하며 글을 써 책을 만들어 매우 만족스

러웠고 재미있었다. 이번 초등학교 생활 마지막을 책으로 남길 수 있어 기쁘다. 김민석

이 책을 쓰며 느낀 점

이렇게 글을 계속 쓰면서 책을 만드는 게 재미있다. 무엇보다 공부 안 해서 좋았다. 그리고 6학년 때 이런 경험을 한 것도 좋았다. 기억에 남는 6학년이었다. 김민준

마지막 글쓰기

글을 쓰면서 재밌었고 친구들이 쓴 것도 들으면서 재밌고 웃겼습니다. 나에 대해서 더 잘 생각하고 잘 알 수 있었습니다. 그리고 친구들과 내가 쓴 글이 책으로 나온다는 걸 생각하며 기대하면서 쓰며 더욱 열심히, 재밌게 쓴 것 같습니다. 김정주

이 책을 쓰며 느낀 점

처음에는 장편소설이라길래 본편이 따로 있을 줄 알고 기대했는데 지금 쓰는 게 본편이어서 놀랐다. 또한 이 책을 출판해서 팔 줄 알았는데 팔지 않는다고 해서 한 번 더 놀랐다. 김태우

힘들다.

느낀 점은 적기 쉬운 것도 있고 어려운 것도 있는데 어려운 게 적기 너무 힘들고 쉬운 주제는 그렇게 어렵진 않고

쓸 만했다. 그리고 시청각실에서 해서 너무 좋고 다 하고 이야기를 할 수 있다. 시청각실에서 하니깐 더 잘되는 것 같다. 그리고 적기 너무 힘들다. **남민성**

정말 멋진 기회

5학년 마지막 날에 친한 친구랑 같은 반이 되어서 기뻐했던 게 아직도 기억이 난다. 선생님이 좋으셔서 6학년을 더 알차게 보냈던 것 같다. 그리고 하고 싶었던 말을 이 책에 쓸 수 있어서 정말 멋진 기회라고 생각한다. 빠르게 지나갔던 6학년이었다. **박성준**

글 향상

이 책을 쓰면서 느낀 점은 글 쓰는 실력이 느는 것 같다는 점입니다. 왜냐하면 예전에는 학교에 남아서 쌤한테 혼나가면서 겨우겨우 다 쓰고 형한테 욕이랑 욕은 다 먹고 맞아가면서 했는데 책을 쓰면서 글 쓰는 실력이 확실히 느는 것 같다. **배성제**

길었던 책 쓰기

여태까지 책 만들기 활동 때 매우 많은 글을 썼다. 그로 인해 글을 처음 썼을 때보다 글쓰기 능력이 향상됐고 예전보다 더욱 더 많은 생각을 가지게 되었다. 글을 쓰는 게 조금 힘들고 지쳤었는데 이제 끝이라서 행복하다. **이규하**

이 책을 쓰며 느낀 점

　　　　　이 책을 쓰면서 느낀 점은 정말 재미있었
다는 점이다. 시청각실을 갈 때도 재미있었고 자유로운 분위기에서
글을 쓸 수 있어서 좋았다. 평소 수업을 들을 때보다 즐겁고 좋았
다.　이도윤

마지막 책 쓰기

　　　　　재미있었고 육학년을 돌아본 것 같았다. 책이 완
성되면 기쁠 것 같다. 국어 대신 해서 좋았다.　이동건

의미 있던 글쓰기

　　　　　이 글을 쓰며 우리 반에 있었던 일을 돌아보
며 지금까지 있었던 일을 떠올려서 좋았고 곧 있으면 졸업이어서
이 글이 의미 있게 느껴졌다.　이혁진

재미있는 책

　　　　　이 책을 쓰면서 느낀 점은 지루하기도 했지만 재미
있기도 했다는 점이다. 시청각실에 가서 글을 적을 때 가장 재미
있었다.　정준혁

인환이의 생활

　　　　　생활 속에서 글을 많이 적었다. 정말 새로운 경험
이었다. 글을 적으니 다시 글 쓸 때로 돌아간 것 같다. 운동회 때

는 너무 좋았는데 너무 슬프다. 왜냐하면 이제 조금 있으면 졸업을 하기 때문이다. **지인환**

꿈을 꾸는 아이들과 함께한 1년

더위가 점점 사그라들고 매미 소리가 멎어갈 늦여름의 어느 날, 고등학교 2학년이었던 저는 담임 선생님과 함께 농구 코트 옆 계단에 앉아 있었습니다. 당시 진로 문제로 방황하는 모습을 걱정하며 지켜보셨던 선생님께서 저를 부르셨던 것이었습니다. 하늘이 온통 붉게 물들었을 때 시작된 대화는 야간 자율 학습을 끝낸 친구들이 학교 건물 밖으로 하나둘 나올 때가 되어서야 끝이 났습니다. 선생님께서 어떤 말씀을 해주셨는지는 잘 기억나지 않습니다. 그러나 오랫동안 제 곁을 지키며 조언을 건네주셨던 따스한 모습만큼은 오랫동안 기억에 선명하게 남아있습니다. 그날 이후로 선생님이 되어야겠다고 다짐했습니다. 그날의 경험을 통해 선생님의 말과 행동이 학생에게 얼마나 큰 영향을 주는지 깨달았고, 누군가에게 내가 받은 사랑을 전하고 싶었습니다.

올해 초, 6학년을 맡기로 결정된 이후, 목표는 단 한 가지였습니다. "모든 아이를 진심으로 사랑하는 것." 우리 반 아이들은 1년 동안 우리 반에 커다랗게 떠 있던 무지개처럼 다양한 특성과 개성을 가지고 있었습니다. 에너지가 가득하고 활발한 우리 반 아이들과 함께 웃고 떠들며 호흡을 맞추는 일은 너무나 즐거웠지만 때로는 막막하기도 했습니다. 제가 가진 역량이 우리 반 아이들이 가지고 있는 꿈과 잠재력을 키워주기에 턱없이 부족하다는 사실을 실감할 때가 많았기 때문입니다. 그나마 할 수 있는 일은 제 선생님이 그랬듯 아이들에게 사랑을 전하는 것이었습니다. 학교에서 다른 일보다 우리 반 아이들과 대화하고 함께 어울리는 시간이 우선순위였습니다. 선생님의 마음이 잘 전달될 수 있도록 고민하고 아이들의 마음을 읽어내는 한순간 한순간이 소중했습니다. 그 과정에서 저 역시 사랑을 많이 받았습니다. 아이들의 말과 행동은 큰 감동으로 다가올 때가 많았습니다. 우리는 이렇게 사랑을 주고받으며 함께 성장했습니다.

우리가 서로에게 받은 사랑을 앞으로 만나게 될 사람들에게 나눌 수 있으면 좋겠습니다. 중학교에 가서도 6학년 때 선생님과 친구들로부터 받은 사랑을 기억하며 학교생활을 하는 데 힘이 되었으면 좋겠습니다. 저 역시 앞으로 만나게 될 아이들에게 여러분들로부터 받은 사랑을 나누는 선생님이 되겠습니다. 감사합니다.

designed by. 이다해